【電視小說04】

大長今 上

金榮昡◎劇本
柳敏珠◎撰寫
王俊◎譯

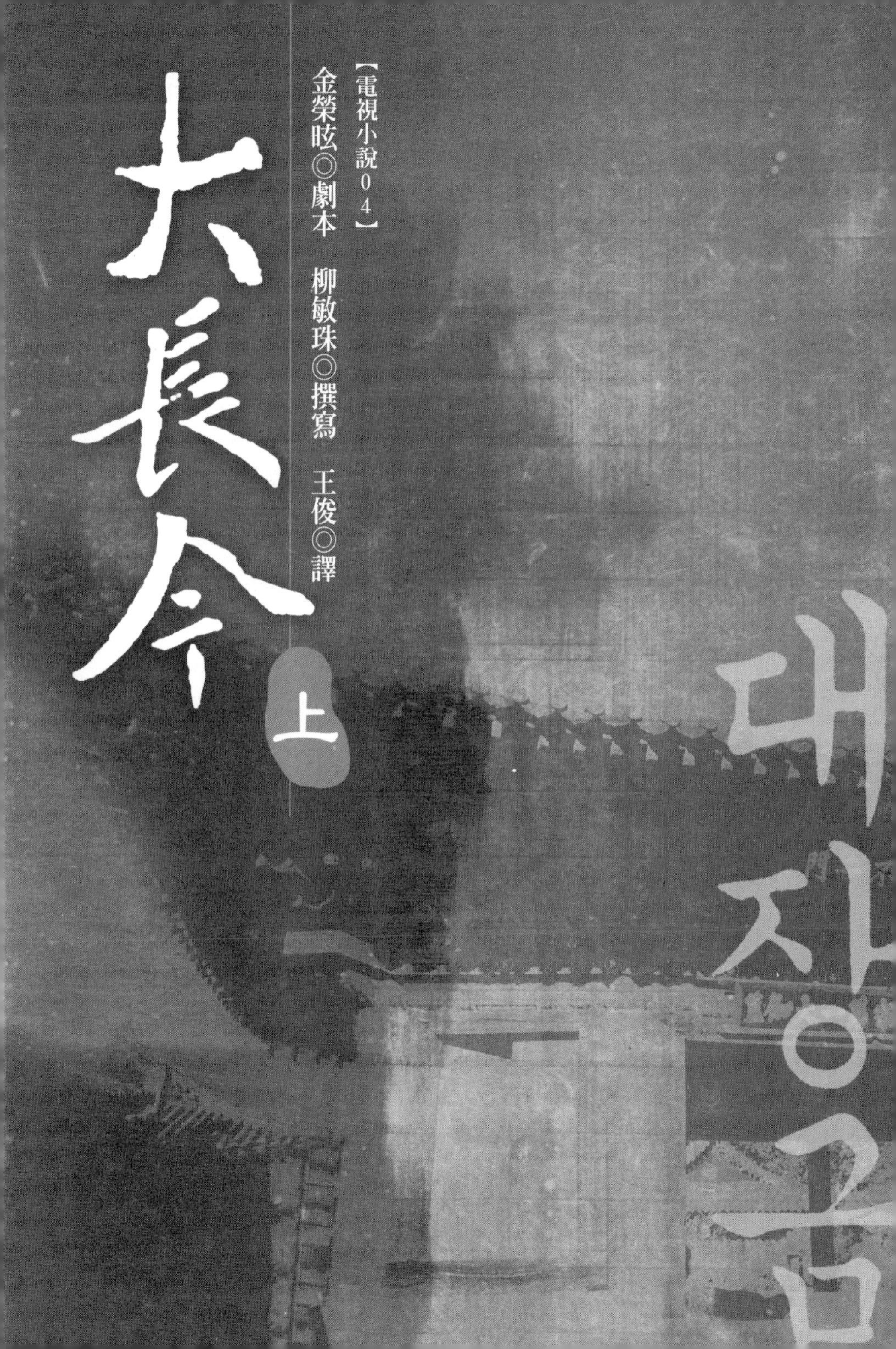

電視小說04

大長今(上)

劇　　本——金榮昡
撰　　寫——柳敏珠
譯　　者——王　俊
修文潤稿——胡洲賢
責任編輯——陳嫺若

發 行 人——涂玉雲
出　　版——麥田出版
台北市信義路二段213號11樓
電話：(02) 2351-7776 傳眞：(02) 2351-9179
發　　行——英屬蓋曼群島商家庭傳媒股份有限公司城邦分公司
台北市中山區民生東路141號2樓
電話：(02) 2500-0888　傳眞：(02) 2500-1938
讀者服務專線: (02) 2500-7397
網址：www.cite.com.tw　Email: cs@cite.com.tw
郵撥帳號——19833503
英屬蓋曼群島商家庭傳媒股份有限公司城邦分公司
香港發行所——城邦 (香港) 出版集團有限公司
香港北角英皇道310號雲華大廈4/F, 504室
電話：(852) 2508-6231 傳眞：(852) 2578-9337
馬新發行所——城邦 (馬新) 出版集團
Cite (M) Sdn. Bhd. (458372U)
11, Jalan 30D / 146, Desa Tasik, Sungai Besi,
57000 Kuala Lumpur, Malaysia.
電話：(603) 9056-3833 傳眞：(603) 9056-2833
印　　刷　禾堅有限公司
初　　版　2004年5月24日
二版九刷　2004年12月16日

ISBN　986-7537-85-8
售　價：250元

第一章　夢

正欲射出的箭張滿了弓，一離弦便穿風飛去，氣勢騰騰，射中了離靶心稍偏的位置，箭身震動了一會兒固定下來，射箭的莽石一下子臉皺了起來，他尚未收拾起失望的神色，就先查看站在他右邊一排士兵的反應。他們全都一臉悵然若失的表情，但左邊一列士兵卻響起了齊聲的歡呼，一個略帶緊張的年輕軍官，正站在方才莽石射箭的位置上拉起弓弦。

「喂，天壽！發揮一下你的實力吧！」

「別忘了，今天晚上的酒還有豬肉就靠你的技術啦！」

眼神注視著箭靶的天壽雖然充滿著緊張，但並未急躁，他吞了一下口水，沉穩地放出拉滿的弦上之箭，在箭猛然飛向箭靶的瞬間，寬廣的射箭場上一片鴉雀無聲，天壽瞇起眼睛準確地瞄過箭該射中的正確位置，接著就聽到：「中了！」

「贏了！」

左邊的兵士們張開雙臂一齊湧向前去，此時天壽鬆了一口氣，臉上的緊張頓時消失殆盡，步向箭靶。

「射得好，天壽，託你福，今晚可以飽餐一頓了。」

「今晚大家可以痛快暢飲啦。」

天壽撥開了左右兵士弟兄們往箭靶前進，走近一看，發現只有箭頭的鏃插入靶心，箭身卻靜靜地躺在地上，天壽本想大叫「啊呀」，隨即又自我鎮定地說沒什麼大不了的。他伸手撿拾那箭身時身子卻震了一下，原來右手竟然全是血，或許是因爲在查看箭靶時，疾轉的箭弦忽然斷裂的緣故。

天壽以驚慌的眼神轉向弟兄們，他的臉也在瞬間變成了土灰色。不知不覺中，士兵弟兄們全用箭瞄準了他的胸膛，唯有其中的莽石眼光帶著微笑。

軍官們舉著箭徐徐靠近，天壽反射性地想倒退一步，兩腿卻不聽使喚，像凍結了似的拔不起來。在他使勁兒的同時，軍官們已來到面前，天壽很想大聲吼叫說「別開這種殘酷的玩笑吧！」嘴巴卻張不開。

他們並不是開玩笑的，連莽石也拉起了弦，大家不約而同地一齊放出了箭，箭像驟雨般飛來，天壽只能胡亂揮動沾滿血的手說：「不，不要，不要！」

好不容易能開口的刹那，他的眼前一亮，「我是在做夢嗎？」

早晨的陽光自門縫中投射進來，躺過的位置似乎有些濕濕的，天壽擦了一下冷汗，用手掌伸到床上試探一下，並沒有血跡，「原來是一場夢啊！」

雖然沒有血跡，夢中受傷的部位卻在刺痛，令人納悶。

下達了分開兩邊排列的信號，聚集的軍官開始散開尋找自己的位置。

「又要舉行只會輸的比賽了嗎？」

雖然像是喃喃自語，天壽卻十分清楚自己不想移動的心情。他只用重比一次的眼光注視著正在磨蹭的莽石，雖然是夢境，莽石拉起弓弦帶著殘忍笑容的目光迄今猶歷歷在目。

「看吧，天壽，今天咱們紅軍也要贏一次。」

天壽沉浸在思緒中沒有聽到。

「喂，天壽！」

「嗯？」

「你這人怎麼一早起來就沒勁兒呢？昨晚幹了什麼費力的事嗎？」

「沒有。」

「那爲什麼別人說話都聽不到？」

「你說什麼來著？」

「你瞧，你可別把我的話當耳邊風了！咱們好好幹吧，每次輸給青軍時，部將❶總是喧鬧得像要把軍官們全都壓扁了似的，說吃定我們了耶。」

「那也得看勝負的結果才能決定啊，一切都要靠實力呀。」

「哎喲，你這人眞是的！你說的還眞驚人，呵呵呵。」

莽石以誇張的笑聲結束了談話，然後溜過了排好隊的紅軍隊伍中。

「爲什麼這次比賽我卻感到壓力呢？」

天壽望著莽石的背影心中暗忖。要不然那夢境不該那麼鮮活的，那只不過是內禁衛下了小賭注的比賽罷了。

雖然是射箭，可也不是比賽，只是玩玩罷了。

「喂，徐天壽！你從剛才就一臉失魂落魄地杵在那兒幹嘛？」

天壽聽到從四官的催促聲，嚇了一跳才精神一振從昨晚的夢中脫出。

所謂內禁衛是在王上近側擔當護衛的軍隊，乃朝鮮時代軍隊中最強（好）的隊伍。從世宗朝開始，朝廷便自五品官以下的官宦子弟中選出智力出眾、容貌清秀的武才組成內禁衛隊，因此，兵士們難免較爲自負。

射箭場中和風徐徐，莽石從右邊紅軍隊伍中走了出來，一眼望去，他緊張的神色清晰可見。

從四官舉起旗的瞬間，莽石也使盡全力拉滿弓弦放出，箭一飛出，說時遲那時快，已射中標靶紅心正中央稍偏的位置，紅軍士兵響起一陣嘆息聲。

位置與夢境中毫無差池，正要忘卻的夢突然又回來了，天壽往前就射箭位置的腳步從未如此沉重，心中不免擔憂。

青軍的高聲吶喊在耳際嗡嗡作響，天壽瞄了瞄標靶就放出了箭，希望此刻趕快過去的心情遠超過對勝負的期待。

「中了！」

「贏了！」

實在令人難以置信，不對勝負抱持期望，只是盡力射出的箭，卻一矢中的。天壽注視著插入靶心的箭身，遠遠望去也可清晰看到箭身正留在它該在的位置，可說非常幸運。

來到標靶前的天壽正要伸手拔箭，箭身瞬時脫落，無力地跌落地上，果眞如此

❶朝鮮王朝時五衛之從六品官。五衛：朝鮮王朝文樂元年制定的軍制，全國軍士分中衛叫義興，左衛龍驤，右衛虎賁，前衛忠佐，後衛忠武，每衛分五部，每部又分四統的制度。

……？天壽緩慢地舉起顫抖的手，頓時眼前一片恍惚，手掌全是血。

「怎麼了，天壽啊，你的手爲什麼都是血？」

「啊呀！正在流血不是嗎？」

青軍弟兄們蜂湧上來團團圍住天壽，他只是茫然地低頭看著滴在地上的血跡，此刻情景正如夢境一般。

「杵在那兒幹什麼，還不趕緊止血？」

背後傳來莽石的聲音。

此時，有個陌生男子走進射箭場，依衣著判斷應是承政院的使令（差兵）。他來到從四官跟前耳語一番後，兩人即消失在本部席遮篷中。

「承政院使令來做什麼？」

急忙前來幫忙天壽止血的莽石邊瞅著本部席的方向邊說：

「不知何事，不過似乎不是什麼好事……」

天壽忖度著承政院使令到來的理由，喃喃地說道：

「說得也是，看他們行事匆忙，不像是有什麼好消息。」

不久後，從四官撥開遮篷走出來，帶著頗爲悲壯的表情，眼神在四散的軍官中移動，他的眼眸最後停留在天壽的臉上。

「徐天壽！」

一時之間，天壽的心臟好像停止了似的。

「還有李莽石！」

「是！」

「快，趕緊準備好跟我來。」

連發問的時間都沒有，從四官已經邁開腳步。

「眞不尋常！是昨夜做了惡夢嗎？」

莽石一面說著，一面立即起身緊隨在從四官後面。

儘管是八月的白晝，山路卻仍灰暗一片，路旁開著花的白色喜鵲鬚草搖曳著，內禁衛從四官騎著馬爲刑房承旨李世佐開路，後面跟隨的有禁府都使及士官軍官、軍卒等，全都面色灰暗。

「令監大人！」

只有馬蹄聲的山路上，從四官低沉的聲音打破了一路的寂靜，然而李世佐卻不回答，一味地注視著前方。

「令監大人！」

「又不是流放，她是在禁身中呢。」

「……」

「不管是因何罪而被禁身，只要她進出房門便是大逆罪會遭殺身之禍的，不是嗎？」

「……」

「更何況她只是爲了在稍遠處窺探兒子，才會進出宮門的呀！」

從四官抱必死之心，可是李世佐始終靜默不語，在他毫無表情的臉上，唯一移動的只有偶爾閉一下又慢慢打開的眼瞼。

「很悶欸！你也說句話嘛，令監！」

「是御命啊，我又能如何？」

「她是元子❷的生母，爲了保衛元子殿下，你北上的日子……」

「不必擔心，不會有事的。」

一說起元子，李世佐的臉色明顯沉重起來，雖然他打斷了從四官的話，語音卻正好被山鵲的叫聲掩蓋而渾然消散。

一行人中還包括了天壽與莽石的身影，兩人小心翼翼地抱著一個紅包袱。跟隨在他們身後的有注書、官員，內禁衛甲士們臉上全都像蓋著烏雲一般。

濃密叢林陰影的另一邊響起了鷲的叫聲，天壽也想拉開喉嚨吼叫：難道就是要我們做這種事，昨晚的夢境才會那麼清晰嗎？

「想不想喝一杯啊？」

莽石從懷中掏出酒瓶輕輕問道，不知莽石是否已經先喝過了，酒氣衝來，天壽急忙搖頭。

「喝一口吧，精神如此頹靡怎麼面對那種場面？」

天壽再次搖頭，莽石看了看官員們的臉色，獨自呑了一口。

隊伍前端從四官繼續著迫切的諫言：

「禁身中的人進出宮門就要賜死，是這意思嗎？這處置太過分了！」

「哎呀，你眞是的！那麼你說該怎麼辦？要違背王命嗎？」

「現在死還是以後死，反正都是死，北上保衛元子的日子，令監也好，我也好，都不可能活命，這是明若觀火的事呀！」

「她是個不幸的女人，可是沒有辦法，我們無法違抗御命啊！」

李世佐嚴正地說，從四官此時也只有閉嘴。

❷國王的長子，一般可成為世子，承襲王位。

一行人走出山路來到橋頭停了下來，此橋通往廢后的娘家。

李世佐複雜的眼神遙望了村子一眼，臉上充滿悲壯的神色。

「走吧！」

此命令一出，從四官立即從袖口拿出一個小東西來，那是一把小錐子，他迅速地往周圍瞟了一眼後，朝自己座馬的臀部刺了下去，座馬突然躍起，從四官的身子無力地倒栽下來。

「呃啊！」

從四官發出充滿痛苦的悲鳴，他身邊的天壽放下包袱跑了上去。

莽石好不容易才控制住狂躍的馬兒，李世佐下馬走近以擔心的口氣問道：

「你還好吧？」

「呃！唉！」

從四官兩手緊緊握住腳踝連連呻吟。

「你去幫他看一下。」

在李世佐的命令下，天壽上前察看從四官的腳踝，才一碰觸他立刻又叫喊了起來。

「呃啊！啊喲！痛死我了！」

「怎麼樣？」

「腳踝像是受傷了。」

「嗯。」

「惶，惶恐啊，令監大人，馬兒忽然……」

從四官咬緊牙努力解釋，李世佐沒說話，這時候莽石把馬兒牽了回來。

「嘿嘿，看這傢伙忽地狂跳的樣子，可見牠也不想去那地方吧，嘿嘿！」

這一路上莽石已把整瓶酒全喝光的樣子，他一臉醉意，嘴角露出了無心的笑意，李世佐不快地皺起眉頭，「你這傢伙，嘴裏怎麼冒出酒味啊？」

冷若冰霜的一句話，莽石立刻趴倒在地，「令，令監大人，小的該死。」

「要去執行御命的傢伙，怎可如此行爲乖張啊！」

「請降罪處死小人吧！」

「當場處死也並非好事，更何況現在沒有餘暇這麼做，你就當是你運氣好吧！從四官怎樣了？可以動嗎？」

「是的。」

可是從四官的情況並不像回答那樣簡單，他好不容易用力撐起身子，一聲慘叫又倒了下去。

「我們不能在這兒拖延了。」

「是的，令監大人，就算讓人攙扶著也得奉行御命。」

「得了吧，你那樣子要怎麼奉行御命呢？」

「不，不，我可以的。」

「真拿你沒辦法！喂，你聽好！」李世佐鋒利的眼光看向莽石。

「是，令監！」

「你的罪以後再問，先送從四官去醫院。」

「知，知道了。」

李世佐二話不說上了馬，躊躇了一會兒，莽石揹起了從四官，天壽卻事不關己地在一旁注視著。

「時間已晚，趕快走吧！」

李世佐拉起馬韁喊了一聲，天壽連同莽石的包袱一塊兒收拾好跟在後面，莽石向天壽吐了吐舌頭裝起蒜來，而從四官臉上也露出了放心的神色。

廢后尹氏本性凶暴，日常舉止甚爲霸惡，又以元子生母爲藉口，行事優柔寡斷，未能事先有所謀略，以致國事紛雜，到了無法收拾的地步，遂於今年八月十六日，於住處賜死。

李世佐宣讀聖旨的聲音明顯在發抖，穿了素服坐在死藥前低頭不語的廢后，反倒是直挺挺的。

「我要晉見殿下。」尹氏聲音低沉而堅定。

「殿下親自來要我喝我就喝，去請殿下來！」

「罪人說話不得無禮，此乃御命。」

「殿下要賜我死罪？沒這種道理……不可能，他不可能下這個命令，令年幼的元子傷心，爲了要看看門外的元子，爲母的我焦急的光著腳跑出門外去，主上殿下絕不會用死藥來回報我，這分明是奸臣小輩想要加害繼承國家大統的元子的奸計，快請殿下來！」

「罪人之身，說話要小心啊！可不能隨意侮辱主上殿下！」

「什麼，你這傢伙，你膽敢……」

「罪人須領受王命，趕緊接受死藥！」

「恕不從命，在見到主上殿下以前絕對辦不到！」

「別再說了，以妳廢后之身怎麼可能看到至尊的主上呢？」

「可我是延續王朝大統的元子生母啊!」

聽到這番話，李世佐的神情變得更加堅定。

「把元子帶來!」

「不行，你過來!餵罪人吃死藥!」

「你們如果一定要我死，就把元子帶來!我要在元子面前接受死藥!」

「你們還在磨蹭什麼?不是叫你們趕快餵罪人死藥嗎?」

天壽在廢后的凌厲氣勢與李世佐冰冷的命令間左右爲難，汗水涔涔而下，首先動起來的是甲士們。

他們一步步拉近了與廢后間的距離，天壽也不想落後，不由自主地移動了腳步。

「你這小子!立刻給我退下!」

在廢后怒氣騰騰的聲勢下，天壽的腳步定住了，此時，李世佐大聲叱喝:「還不趕快餵死藥!你要違抗王命嗎?」

天壽閉起雙眼，一陣暈眩，再張開眼睛，他辛苦地背對廢后催促甲士們。

「把罪人牢牢地抓住!」

但甲士們也沒走幾步，就又被廢后的聲音給震懾住了。

「站住！立刻給我站住！」

「還不快快接受王命，否則你們全都得處刑！」

不能再後退了，此時，天壽只有一個念頭，就是想趕快結束這個惡夢般的瞬間。

「你們給我退回去，退下，退下！」

廢后一句一句使勁地從口中擠出話來。

此時，天壽已到廢后跟前，他伸出手，臉上充滿了必死的念頭。

「別亂來！我是……本國的國母，我自己喝！」

八月的太陽陰沉地照射在人們的頭頂上，牆外櫸樹上的「知了」不約而同地一齊鳴叫起來。

廢后緩慢地端起盛了死藥的大碗，此時滿臉是淚的母親申氏跑進來朝廢后叫了聲：「正宮娘娘！」

天壽恍惚間以身子擋住了申氏，她在他胸前掙扎晃動。

「不，別喝啊，正宮娘娘！」

看了一眼母親哭喊的模樣，廢后的眼光飄向遠處，也許是在找尋元子所在的宮殿吧，她的眼中充滿著淚水。

「元子啊！你一定要繼承王位替爲母洗雪此莫大的冤情啊！」

溢滿眼眶中的淚水奔瀉般流下，廢后立時吞下了死藥，藥碗滾到地板上的同時，申氏也掙脫了天壽的阻攔衝上前。

廢后的嘴角流出了暗紅的血。

「正宮娘娘……」

老母對女兒的死無能爲力，只能守在一旁，不禁痛哭失聲。

吐血的雖然是女兒，可是老母哀絕的哭聲中，似乎也在淌著血。

氣絕前的一刻，廢后用盡渾身的力氣，再度吸了一口氣，掏出綢緞織的錦衫，才一會兒工夫，冒出的血已染紅了那件錦衫。

「告訴元子……告訴元子……妳一定要把這些傢伙的霸惡無道……一定……一定……轉告元子……」

廢后似乎就此停止了呼吸，但是最後一瞬間，又努力抬起欲閉的眼皮，對天壽怒目而視，「今天，你們所作所爲……我會向你們討回的……」

這是廢后尹氏在這世上留下的最後一句詛咒，雖然氣絕了，但她的眼睛卻未能閉上，眼眸直直地射向天壽。這淒厲的眼神比起她生前猶有甚之，使得天壽汗如雨下，全身起了雞皮疙瘩。

申氏把女兒瞪視的雙眼闔上，放聲大哭，大白天裏連「知了」聲都平息下來，老女人的痛哭聲劃破了寂靜，天壽再也無法不動容，便把視線轉向像是受了冤枉委屈的藍色天空。

晚風裏夾雜的樹葉聲帶著前所未有的淒涼，就連日夜常走的山路也像初次來到般陌生。天壽不斷回頭望著，月光下的松樹葉梢都像是向自己招喚的廢后手勢一般，他雖已三杯生酒下肚，身軀卻仍一直胡亂抖顫著，赤栗樹上的杜鵑鳥淒然鳴叫，這是一個連自己的呼吸聲都變得恐怖的夜晚。

天壽加快腳步，被風掃過的樹葉聲彷彿是廢后的嗚咽，害怕的思緒一起，恐怖感便接踵而至，緊拉住後腦勺不放。天壽不禁發足跑了起來，一面連連地往後看，月光下搖曳的樹葉就像是廢后披散的頭髮。

天壽開始死命地向前跑，後面斬了根的樹木像是披散著頭髮的女人在追趕他。嚇得魂不附體的天壽，連跑離道路也渾然不覺，最後踩到落葉滑倒滾落了山坡。

天壽睜開眼睛，發現自己身在一個洞窟裏。聽著滴水聲天壽感覺神志已清醒，便打算坐起身子，可是他費盡力氣最後卻不得不放棄，身體不知哪裏受了傷，手臂無法伸直。

「斷了嗎?」

起初以爲是遠處傳來的聲音，但是在煤油燈的模糊燈光下看到一個盤腿而坐的形體，分明是個人。待眼睛適應了燈火，才看清楚那是個身著道袍的老人，一眼望去，老人相貌不凡。

「你的手臂受了傷，所以現在行動不方便。」

「好像在山坡上滑了一跤……是道長救了我嗎……」

「你把那兒的藥喝了吧!」

頸旁放著一碗藥，天壽用了吃奶的力氣坐起來，藥是苦的，卻帶有甘味。

「謝謝您!這恩惠要如何報答呢……」

老人閉著眼，一動也不動。

「請告訴我如何從這兒出去。」

「……」

「老大爺!小的想就此告別，從這兒出去……」

「你不像是個壞人，可爲什麼手上沾滿了血呢?」

天壽大吃一驚注視著老人，但老人閉著眼，無法讀出他心裏的想法。

「您這話是什麼意思……」

「可憐的命運啊……女人的恨意既深又長啊！」
「老大爺！不，道長！我的命運怎麼了，你說什麼可憐呢？」
老人打開閉著的雙眼，目光炯炯。
「你的命運掌握在三個女人的手上啊！」
「三個女人？」
「第一個女人你欲殺之卻未死。」
「我，我要殺死女人？」
「第二個女人，你欲救之卻因你而死。」
天壽瞠目結舌，連一個字都說不出來！
「第三個女人欲殺你以救眾人。」
聽到自己要死的話，天壽精神爲之一振，「你是說那是我要面對的命運嗎？那要怎麼辦才能擺脫那個命運呢？」
「……」
「道長！求求你告訴我方法！」
「不見面爲其首要！」
「如何才可以避開那些女人呢？」

「不是已經見過了嗎？」

說完，老人又關起了話匣子。

「如果說我已經見過的女人，那指的不就是廢后嗎？」

天壽就此背脊發冷，「但那並非我意啊！」

「所以說是可憐的命運呀！」

「道長！如果可以避開第三個女人的話，那就有救了嗎？要怎麼做才可以避開她呢？」

「只要你不與第二個女人見面就可以了。」

「第二個女人？那要怎麼避開她呢？請告訴我方法好嗎？」

道士就此閉上了嘴。

「道長！」

天壽心急地叫了一聲，道士卻不再輕易開口了。天壽露出失望的神情，正打算放棄追問退下時，老人拿起紙筆開始寫了些什麼。

過了一會兒，老人將一口氣寫好的三張紙拋向天壽，天壽慌忙地抓住宣紙，上面只寫了「妗」、「順」、「好」三個字。

「這，這是什麼意思？」

天壽舉目望著字時，老人彷如風一般飄忽而去，天壽忘了疼痛倉皇地跑了出來，叫道：「道長！道長！」

急迫的叫聲在天壽耳際回響，但老人早已消失得無影無蹤。

「妗、順、好這三個字是指三個女人嗎？」

「有什麼含意呢？」

「是啊，是說倒霉的女子，順和的女子和美好的女子……光是這樣無法知悉其意，依小僧來看，得把字拆開才能解！」

「什麼是拆字？」

「太祖立國之前，民間盛傳『木子得國』的故事，你聽過嗎？」

「師父，您越說我越糊塗了……」

「樹木的木加個兒子的子是什麼字呢？」

「那是桃李的李字吧？」

「對了，木子得國，意指李姓之人奪得王位，以此類推，當其字無法傳達本意時，就得用拆字的方法啦！像妗字是女字邊加個今天的今字，解其意應為今日遇見的女人，可是你從道士那邊得到字是什麼時候？」

「昨天！」

「昨天你有特別見到的女人嗎？」

眼前一陣晃動，「難道說廢后尹氏就是第一個女人嗎？」天壽的臉頓失血色。

「看你臉色蒼白準是有說中的女人囉？」

「師父，剩下的也請幫我拆一拆字！」

「以小僧所見，順字是河川的川字邊，加個頭項的頁。」

「河川的川，頭項的頁。」

「好是女字邊加個兒子的子，此二字關係密切。」

「女子的女，兒子的子……不明白，眞是不知其所以然，女與子會有什麼關聯嗎？」

「小僧只是以拆字來解而已。」

「師父都不瞭解的事，我如何能猜得出來呢？」

「該當『順』與『好』字的女人，尚未見面不是嗎？只有菩薩的慧眼才能看出後面的這兩個女人，南無阿彌陀佛，觀世音菩薩……」

天壽知道不可能等到更精確的答案了，便折起宣紙放進衣袖向師父合掌。

步出「逸朱門」之前，正好傳來木鐸聲，天壽停止了腳步，轉身回顧才剛離開的寺廟。供奉了佛像的大雄殿，在大白天裏顯得五彩繽紛、輝煌燦爛。

正當天壽穿起套襪，門忽地打開了，一個人下半身趴在走道地板上，上半身被推進門來，莽石的臉蛋像破裂的西瓜似的。

「你是怎麼回事啊？」

天壽只顧默默地穿著套襪。

「我知道主上登基之後你心裏很不平靜，只是一味地自責！」

門那頭院子邊醃菜缸上，有一隻蜻蜓正往上飛，早上的陽光和暢，暖洋洋的，表示秋天的腳步近了。

「十四年了，現在該是遺忘的時候了吧？」

十四年。天壽靜靜地重複著這句話，已經這麼久了，別說是忘卻，日子越過記憶越清晰，這段歲月就像是匕首插在記憶上走過來一般。

「都已年過四十了，還對瘋老頭的話深信不疑，至今尚未娶親，你到底是怎麼回事？姑且不說娶親，難道你真的對女人失去了興趣？」

聽了這些話，天壽露出莞爾的笑容。

「你這可憐的人啊！把它給忘了娶門媳婦不就好了嗎？軍官職務也別幹了！」

莽石越想越氣憤，到底要如何是好呢？天壽站起來拿起掛在壁上的軍服，眼中流露出前所未見的深情。

「我的話也許你不願意聽，可是啊，辭去軍官一職要如何糊口呢？」

「咱們離開此地！」

「離開？上那兒去啊？」

「離此地很遠的地方！」

「何時？」

「站完最後一次崗的第二天清晨。」

「最後一次站崗是哪天？」

「今天！」

「你這朋友眞沒人情味，你走了，我該怎麼辦？」莽石哭喪著臉瞟了天壽一眼說，「上回疫病時把家裏那口送走，和你相依爲命一直到現在，我怎麼捨得啊？」

聽了這話，天壽也感到鼻酸：「對不起……」

「眞的抱歉的話，就別走，老把走啊走的掛在嘴上，你到底要到哪兒去？咱們留在這裏彼此照應到老死吧，反正也沒有一定要跟老婆一起過的道理，對不對啊？」

「很抱歉，我非走不可，我沒法在此地過下去……」

「你這人啊，那瘋老頭的話比我還重要是吧？那老人隨便說說你便嚇得不敢或忘，到頭來要把我丟一邊是吧？」

莽石從天壽的表情感覺到他堅定的決心，乾脆就耍起無賴來了。

「你這令人寒心的傢伙，幼稚的傢伙，沒人情的傢伙！」

「那眼神眞無法忘懷！」

「眼神？什麼眼神？」

「廢后臨死時，射向我的那充滿怨毒的眼神啊！」

也許是那眼神讓他顫抖地想起對未來的計畫，天壽粗野地拿下軍服，卻因爲激動無法繫好皮帶。

「說眞的，主上殿下殺一頭鹿也就罷了，可是怎能殺死自己的恩師呢，一想起來，連我也全身起雞皮疙瘩呢！」

也許眞的起了雞皮疙瘩，莽石說完話就顫抖起來了。

那時，說起燕山君的暴虐，民間流傳著兩種傳聞，首先傳開的是，燕山君用箭射死了先王疼愛的鹿。

燕山君與鹿的結怨要追溯到世子的時代，先大王成宗傳喚世子隆前來，欲教導他爲君之道，沒料到隆正要靠近成宗的刹那，一頭鹿忽然鑽進來舐了隆的衣服和手背，氣憤的隆忘了父王的召見，胡亂地朝鹿踢了好幾腳。成宗聽到此事，大爲光火，因此狠狠地罵了隆一頓，後來隆一登上王位就先找出鹿來將之射死。

不僅如此，還有「另一頭鹿」，成宗親自找來兩位名望甚高的學者許琛和趙子書，拜託他們擔任世子的恩師，然而這兩位老師的性格正好截然不同，趙子書嚴格又仔細，而許琛卻是包容寬厚，隆經常逃課，每當此時，嚴格的趙子書總是恐嚇世子說要將此事告知王上，而許琛總是帶著笑臉好言相勸，待隆一登上王位，第一個就將老師趙子書處死了。

莽石更接近火炕坐著，然後嘆了一口氣：「你也聽過這故事吧！不是說從師如父嗎？他殺了自己的老師，那還有誰不能殺呢？」

雖然只是聽說，但在那件事傳開之後，他便下定決心辭去軍職離開此地。

「對了，那老人如果眞是個靈驗的道士，爲了你的安危，離開也許更好。」

莽石沮喪的聲音像在天壽的心中敲了一記，他們兩人一直都像親兄弟般互相扶持著過活。

「不要太傷心，只要活著，總會有再見面的一天。」

「有想去的地方了嗎？」

「是啊，四處流浪一陣之後，看能在哪兒停頓下來就在那兒待吧，還能怎樣？」

「那肯定是個沒有女人的地方囉？」

「應該是的！」

「啊唷，那肯定是個生活乏味的地方！」

「連你也不在，所以應該更乏味。」

一個鰥夫一個王老五，兩人對看了一會，不分先後地轉過頭去，兩個大男人眼睛都紅了。

乾春門屋簷上開闊的天空像擦拭過一樣蔚藍，門口的甲士們居然也夾雜了天壽魁武的身影，擔負君王護衛的內禁衛軍官的威勢，加上筆挺的軍服，更顯出天壽堂堂的容貌。

平時在昌德宮起居的燕山君今日因爲有宴會而待在景福宮。蓋在水中央的慶會樓大廳是爲接待明朝使臣而特別搭建的，每條通道也都有宮女們在忙碌著。

儘管外表上看似嚴謹，天壽的內心卻是悔恨不已。

父親武官出身，自己也是擁有射箭天賦的長子，在父親親自教授旗槍和擊毬❸的武藝技巧下，天壽在木箭、火箭、鐵箭各方面都曾有冠軍的記錄，在通過「式年試」❹時，年邁的父親還強撐著中風的身子坐起來接受大禮。然而自從天壽經歷過廢后一事後，整個人變得意志消沉，再加上父親不久後過世，兩年後老母也跟著走了，雙親都等不及這長子的婚事就匆匆離開人間。

「如此的武官身分，又是徐氏家門的長男，怎能輕易卸下軍職而離開？」

天壽眼眶變得濕熱起來。

穿過門，從宴會場那邊傳來一陣喧鬧聲，之後便沉靜下來，天壽的視野看不到全貌，但他知道宮內因準備宴會正忙碌著！

離宴會場不遠的座位席上搭起了大大小小櫛比鱗次的臨時遮陽棚，女侍們、「巴只」男侍們快步地穿梭在「內熟說所」❺中無數個遮陽棚間，一個「待令熟手」❻正打開一支大遮陽。

負責君王的餐桌、宴食桌和調理室都各由不同的人負責。平時的調理是廚房尚宮的份內事，宮中宴會進餐時則由具有料理師資格的待令熟手負責。

廚房尚宮一般是十三歲進宮，固定交由某個師父帶領，在底下學藝二十年，到三十三歲才接受任命，而手藝成熟卻仍在等待任命的待令熟手並不直接料理飲食而是主管宴會，負責接待，他們跟尚宮的所屬也不同，是屬於吏曹底下的內侍部。

「嬤嬤，您叫我嗎？」侍令熟手進入遮陽棚裏，在提調尙宮面前低下了頭。

「王上大人想吃雞蔘熊掌呢，崔尙宮準備了材料，你去看看。」

「是，嬤嬤。」

侍令熟手謹慎仔細地查看準備好的熊掌，還有各種材料。

「這樣子就行了吧？」

「是，崔尙宮似乎已準備完全。」侍令熟手答道。

「幸好是，必須沒有一點兒差錯才行啊！」

「的確是如此，嬤嬤！」

提調尙宮回望著崔尙宮，表情似乎放心了許多，崔尙宮本來緊繃著的臉也舒緩了些。

「你也交代水刺間❼的宮女們趕緊準備吧？」

❸旗槍是耍一種帶有旗的短槍的武藝，擊毬則是騎馬用杖打毬的技術。

❹王上指定舉行科舉之年謂「式年」，每三年一次的科舉試叫式年試。

❺宴會大廳。

❻男性雜役，專門在宮中侍候宴會進餐事宜。

「是的，水刺間裏最高尙宮嬤嬤正親自打理王后娘娘的餐事。」崔尙宮答道。

「我爲了打理宴會，不在位置上的時候，水刺間的管制越是不該疏忽。」

「我會銘記在心的，嬤嬤。」

崔尙宮恭遜地低下頭，提調尙宮眼神似未見她兀自點頭，眼神中有著高度的信賴。

同一時刻，水刺間裏另一位姓崔的宮人正忙著切鮑魚。製作王上和王妃餐點的地方叫做水刺間或是燒廚房，燒廚房又有內外之分，內燒廚房負責平日餐點，外燒廚房則負責宴會或祭祀的飲食。

切好鮑魚的崔宮人手勢柔和而乾淨俐落，把刀收進刀套後，立刻就搗起蒜頭和生薑，那手勢更加忙碌活潑。

稍遠的位置上，朴宮人正在切要放在魚鍋裏的蘿蔔，不知怎麼回事，她的精神似乎不能集中，反而盯著崔宮人。

崔宮人並不知道朴宮人正在偷偷注意她，只是專心一意地搗著蒜頭。朴宮人仔細一瞧，竟發現裏面有幾顆長相不同於蒜頭的東西，是被橫切的。好像那是重要關鍵似的，她的臉色當場沉了下來。

搗佐料的事一完成，崔宮人將之放進鍋裏，此時最高尙宮走進來了。

「都準備妥當了嗎？」

「是的。」

指揮宮女們的氣味尙宮向著最高尙宮往前一步去說話，在端進王上或王后娘娘的膳食之前，氣味尙宮需負責檢食，以確認食物中有無毒物，而品嘗味道則是最高尙宮的職責。

宮中七點鐘前端進初朝膳桌，除此之外還有早餐、午餐、晚餐共進四餐，晚餐跟早、午餐不同，原則上要準備十二碟，種類較多。

最高尙宮品嘗之後，要是點頭的話，當差的宮人臉上就會露出喜悅之色。但是蔬菜牛肉還沒入口，瞥了一眼就丟棄，當事者當場面如死灰。

「重新做！」

「有什麼不對嗎？」氣味尙宮回道。

「這麼差勁的東西，妳沒看到嗎？」

「嬤嬤，請，請饒我一次。」

「你到現在還不知道上監大人喜歡加多少香麻油嗎？」

❼水刺間是專門準備王上、王妃食桌的廚房，即御膳房。

「……」

「重新再拌過！」

「是，嬤嬤！」

「不是叫妳，妳！妳重新再做！」

下人做不好便不再給她機會，她把拌蔬菜牛肉的工作交給另一位宮人去做，燉魚鍋則安全過關。

朴宮人消除了緊張，呼吸也平靜了，走到做「觀煎子」菜的宮人前，最高尚宮眼色更加淩厲，生山雞肉加上小黃瓜、鮑魚、海蔘、葡萄、梨子，再淋上醋、糖、醬油等佐料的肉汁叫做「觀煎子」，這道菜是今天宴會上的主菜。

「都好了嗎？」

「是的。」

「風很大，香味容易飄失，後加的材料另外準備，我親自來加！」

最高尚宮一說完就走出了水刺間，氣味尚宮如影相隨，看著這光景的朴宮人因不服而眼珠游移著，可是她仍然堅決地快步走出。

朴宮人雖然心裏打定主意，可是一走到氣味尚宮房門前，仍不免猶豫起來，深呼吸了兩三次，才讓心中的畏懼多少消失了些。

「嬤嬤，奴婢是明伊。」
「什麼事呢？」
「奴婢有話向您稟告。」
「進來。」
門一打開，門口站著隨從宮人，氣味尙宮使了個眼色，隨從宮人會意地走出房間。
「什麼事情？」
「噢，奴婢……」
終於開了口，卻一時說不出話來，朴宮人決心要說的話只在嘴裏打轉。
「到底什麼事，怎麼呆住了？」
「是，是主上殿下命令給太后娘娘的菜……」
氣味尙宮的臉色立刻陰沉下來。
「是啊，太后娘娘有肥胖症，所以特別關照水刺間做好上菜的不是嗎？」
「是的，可是宮人崔氏在做給太后的食物時，把草烏和川芎、蒜頭一塊兒搗碎了加進去。」
「草烏是用在肥胖症的藥材啊，有什麼奇怪呢？」

「是的，可是用生的草烏會使精神暈迷，水刺間的宮人誰都知道這事。川芎也是，用生川芎會使氣不通暢，加重症勢，而且，川芎並不是肥胖症的藥材……」

氣味尙宮閉上嘴，朴宮人雖然緊張但話已經說了出口。

「起先奴婢以爲是內醫院給肥胖症開的處方藥，可是若這麼擱著不管，小的擔心太后娘娘的病勢會加重呢……」

「妳看得很清楚嗎？」

「我親眼目睹，清楚無比！」

「從何時開始那麼做的？」

「四天前。」

「四天前，不就是主上殿下下令水刺間負責所有太后娘娘上膳食的那天嗎？」

「是的。」

「怎麼會有這種醜事，除了妳還有誰知道這件事？」

「我沒有告訴任何人。」

「做得好！」

「是，嬤嬤。」

「我知道了，我會暗地裏查看後續處理的，妳暫且退下！」

朴宮人恭遜地答禮後起身，氣味尙宮再次叮囑道：

「此事不得告知任何人，知道嗎？」

「奴婢會銘記在心！」

因恐懼而緊張萬分的朴宮人一走出氣味尙宮的房間，才終於鬆了一口氣，呼吸逐漸恢復平穩……，冬至月的冷空氣攪動了內心，雖然感到輕鬆了些，但自我撫慰之餘仍不免想到即將發生的波瀾，不禁嘆了一口氣。

反正事情已經發生了，朴宮人稍微恢復了平靜，此時看到了從對面走過來的韓宮人。

「白英啊！」韓宮人像是有人在追趕似的疾走著，朴宮人叫道。

「什麼事？我得快走！」

「……」

「那件事，妳都說了？」

「嗯……」

「跟誰？最高尙宮嗎？」

「不，跟氣味尙宮啊！」

「做得好，崔宮人的事我也心裏掛記著要對最高尙宮大人說呢，那麼，氣味尙宮怎麼說?」

「說調查後會處理!」

「十年了,這種心情就像是解除了不消化的症狀咧!」

「雖然她問說還有誰知道,我沒說妳。」

「爲什麼?」

「我是想……也許還沒有完全搞清楚,不是嗎?」

韓宮人想回什麼話,可是在稍遠處等著的宮人在催促了。

「白英啊,快點啊!」

「噢,要給主上殿下上的酒膳,材料不足,現在生果房忽然關了!」

「那糟糕,趕快去看看,待會回房再說吧!」

「好,待會兒見。」

韓宮人快步走遠,朴宮人目送她的背影良久不動,回想和韓宮人一起做事,度過的歲月像水波一樣在眼前盪漾,要是沒有她的話,她可能無法忍耐宮中生活的疲倦和寂寞。

沉浸在悔恨中的朴宮人突然想到水刺間長時間沒人看顧,心就焦急了起來,因爲宴會即將開始了。

朴宮人加緊腳步，不料卻在通往水刺間的門前見到別監❽，她停下腳步，別監平時一向不假顏色，今天卻高興地走近來說：

「我們談談再走吧！」

「是什麼事啊？」

朴宮人的回話帶著不悅，但別監並不介意，從紅衣中拿出類似藥材的東西。

「……」

「這從中國來的！」

「你老是這樣子的話，我只好稟告尙宮大人了。」

「在下也別無他意，只是對上次的事表示感謝而已，請收下吧！」

朴宮人正猶豫時，別監快速將東西交到她手裏，便匆匆離去，她連推辭的時間也沒有。

「剛剛上面就在找妳，妳站在這兒做什麼？明伊啊，手裏握的是什麼？」

朴宮人口裏唸唸有辭，宋宮人靠過來，把她手中的粉盒拿走。

「這是什麼呀？」

❽別監是負責調查、監督、聚斂等事的官吏，朝鮮王朝時屬「掖庭署」。

「妳別多嘴，也許是粉吧？」

「是中國女人用的粉嗎？這麼稀貴的東西從哪兒來的呀？明伊，拿到這東西妳一定開心死了吧，這東西眞讓人愛不釋手欸！」

「我們一起享用吧，嗯？」

「好！」

「這粉，到底哪兒來的呀？」

「看來又是那別監送的吧？」宋宮人代替她回答，朴宮人既不承認，也不否認，只是低頭看著拖地的裙腳。

「不管受人家多少幫助，拿這個來表示感謝，不有點太過火了嗎？」

「那有什麼關係啊，我若是能收到一次這種珍貴禮物的話，就心滿意足了。」

只聽人說過的中國胭脂粉，如今親眼目睹的宮人們興奮異常，驚動了經過附近的氣味尙宮和最高尙宮。

「妳們在那兒做什麼？」

突如其來的叱責，讓宮女們嚇了一跳，趕忙低下了頭散開，氣味尙宮上下打量著宮女們，眼光停在朴宮人身上，可是，她偷偷窺視了最高尙宮一眼，又催促宮女：

「宴會已經開始了，別拖延，快跟我來！」

朴宮人害怕落單，與宮女們站成一列，然而手裏握著粉盒，不知如何是好，情急中趕忙塞進了袖管，跟在已經往前走的宮女後頭。

大桌上盛裝食物的碗碟已經堆了有兩尺高，令人目不暇給的食物中還插了綵花，把食桌裝飾得更加華麗，而參宴者 則各自坐開。

大致一算，獨桌之數也多達百桌，一旁侍候的宮女和熟手更是數不勝數。以提調尙宮爲中心，水剌間最高尙宮、內燒廚房、外燒廚房等各部署以及大房尙宮們都在一旁哈腰低頭侍候著。

在提調尙宮的監看下，最高尙宮開始檢查給君王上餐的御桌，上菜前各種山珍海味上加料等的動作也很熟練，最後把雞蔘熊掌放在中央，上桌時由宮女們每人端一桌列隊前往內熟說所。

寬廣的宴會廳裏由太后帶領的王族們和大小臣子表情十分嚴肅。一般而言，宮中的宴會分爲進宴和進饌，進饌是國家有慶典的時候舉行，進宴則是王族有喜慶時舉行，而今天是先王後宮娘娘的誕辰，由當今王上設的進宴。

王上殿下內外一入座，登駕樂即開始演奏，所謂登駕樂，是爲了宴會或者文廟祭禮樂的演奏而設置的舞台樂，雄壯和平、與民同樂的旋律，使得宴會的氣氛熱鬧了起來。

燕山君身後有三名尙宮侍候著，分別是負責檢食的氣味尙宮、侍奉上菜的尙宮，還有做肉片菜湯的尙宮，這肉片菜湯必須現場烹煮，得準備大爐和湯鍋，當場滾煮後進食，所以按照慣例有專門尙宮負責此事。

鼓聲七響之後，妓生們開始表演鼓舞，此時宴會的氣氛到達最高潮，等候給殿下上酒的最高尙宮等得心慌，水刺間宮女則在宴會廳另一邊的「一閤門」前屛息候著。

終於等到氣味尙宮嘗了一口主菜雞蔘熊掌，檢食之後呈給王上，這時，宮女、尙宮們的視線都轉而注視王上咀嚼食物的表情。

過了一會兒，王上微微點頭，表示味道很好，水刺間宮女臉上才顯露出安然之色。

最高尙宮對底下膳房尙宮使了使眼色，表示退下，宮女們便開始移步走向水刺間。

跟著一行人後面的朴宮人停住了腳步，望著太后的獨桌，氣味尙宮注意到她的舉止，和最高尙宮兩人交換了短暫、強烈又不尋常的眼色。

韓宮人做完事正準備回住所，忽地一個身影擋在她前面，定睛一看，原來是宋宮人。

「什麼事呀？」

「最高尙宮叫妳去一趟。」

「在這個深夜時刻？」

「不知道啊，大家都被叫去了。」

韓宮人邊走邊回望了住處幾眼，但沒法子只得隨宋宮人走，到了最高尙宮的職務室。

朴宮人在自己住處做著裝飾品，邊等候著韓宮人。此時，她已脫下藍裙和玉色上衣背心，只著白色內衣，綁了紫紅髮結的辮子一直拖到腰底下，姿態可愛。用粉紅、淺綠、紫色、紫紅、玉色等的絲線做成的裝飾品十分精緻，她再把青、紅、黃三種單色流蘇串綁起來，準備完成一個三色流蘇垂飾。

朴宮人暫時放下手中綁結的工作，把門閂打開，時間已相當晚了，還沒聽到韓宮人回來的聲音。

「爲什麼這麼晚呢？」

喃喃自語之時，門無聲地開了，一瞬間一群宮女湧了進來，立刻把她眼、嘴都蒙起來包裹好，然後用一根大棍擔起，朴宮人連慘叫的時間都沒有。

朴宮人坐過的位子上，只剩下快完工的那個三色流蘇垂飾在閃爍。

俗諺說，杜鵑鳥向著村子鳴叫的話，必定是誰家遭到初喪的徵兆。牠是一種會反噬母鳥的不孝之鳥，那令人心情鬱悶的哭叫聲，不禁讓人毛髮倒豎。

一群宮女摸黑沿著宮闕的圍牆，和緜延的山路走著。擔著朴宮人的包袱隊伍後還跟著一個宮女，白楊木的樹梢顫抖搖動著，宮女手中拿著的小串子好像馬上會掉下來似的危急。

沒有月光的夜晚，陰沉的樹林裏出現了幾位尙宮，擔架在她們面前放下，一打開包袱，露出了朴宮人的全身，一個宮女以敏捷的動作解開了她蒙住的眼和嘴，露出朴宮人失魂落魄的臉蛋。

她先看到的是最高尙宮，也見到了崔尙宮和氣味尙宮帶著怒氣的臉。

「妳知道自己的罪行吧！」

最高尙宮的聲音低沉又嚴峻。

「我，我不知道，您說的是什麼？……」

「再問妳一次，妳承認妳的罪過嗎？」

「嬤、嬤嬤，奴婢實在不懂爲何被捉來此地，請告訴我緣由吧！」

「妳這賤人！如果讓妳知道了，妳會乖乖地束手就縛嗎？」

「小的眞的不知道做錯什麼，請告訴我，嬤嬤……」

朴宮人的呼喊越急迫，尙宮們的臉色變得越陰冷。

「宮女是什麼身分妳知道？是主上殿下的女人，除了宦官以外，其他的男子連瞧都不能瞧一眼，妳忘了嗎？」

「我，我記得，小的並沒有違反規矩啊！」

「沒有違反？呵，妳看看這沒規矩的賤人，那麼，這是什麼東西？」

最高尙宮拿出粉盒和佩飾，可能是別監把粉盒交給她的時候，被她拒絕之後，又塞了佩飾在她手中後才離開，一看到這些東西，朴宮人說不出話了。

「那，那東西是……」

「妳認識守『滿春門』的別監嗎？」

「是的……」

「夜深時刻妳見過那別監嗎？」

「……」

「還不趕快從實招來？」

「事實是，有一天他半夜裏肚子痛得倒在地上，我看見了，趕忙處置，就僅如此而已……」

「妳如何處置的？」

「給他喝了熱水後再把我所有的藥材給他吃……」

「就爲了感謝妳所以他給妳這佩飾和粉嗎？」

「……」

「妳這賤女人，什麼也不考慮就接受這些東西嗎？」

還有什麼話好說呢？朴宮人此時只祈求這是場惡夢，守望著束手無策的朴宮人，韓宮人內心也不忍了起來。

「不規矩的賤人！看到有人倒下的話，妳就應該立刻寫紙條給其他別監告訴他們，或許當時情況緊急先做了處理，就算如此，也不會爲這一點小事就送妳這麼貴重的物品呀！更何況妳也收了下來，要說你們彼此不通私情，說什麼我都不信！」

「嬤嬤，不是，眞的不是那樣啦！」

「妳住口！崔宮人，把妳看到的說出來！」

最高尙宮一說完，崔宮人往前走了一步，她就是在準備太后娘娘食物時把草烏和川芎搗碎加進去的人，這時，朴宮人才驚覺自己目前身處危境。而崔宮人則充滿怨恨地瞪視著朴宮人。

「是的，四天前，我親眼目睹朴宮人和一個男人進入庫房。」

「嬤嬤！冤枉啊，絕對沒有那種事！」

「沒見過這麼不要臉的賤人，以宮女之身失去純潔的話，不如自盡，何況妳還要陷害無辜的宮女啊？」

「不是的，我發誓沒有那種事！」

「妳可知道宮女的身分呀！進宮當一名生角侍，十五年後舉行宮人禮便正式成爲宮女呢！此時所辦的宮人禮就是意味著婚禮，一旦成爲主上殿下的女人，就必須一生守節，妳背叛殿下，與人通情或是對同事背信，然後還信誓旦旦地說沒有嗎？」

「不是的，我是冤枉的，嬤嬤！」

「此罪只有用死來抵償，妳這賤人一定也知道的吧！」朴宮人一聽要死便閉起嘴，不再抗辯。趁著大家的視線集中在朴宮人身上時，韓宮人從衣囊中掏出什麼，快速環視周邊的眼光後，從小包中抓出來放進水瓶裏，然後假裝沒事一般，最高尚宮就在此時發出號令。

「立刻施行！」

四個宮女立刻跑上來，捉住她頭部將脖子後仰，宋宮人和崔宮人用湯匙將她的嘴撐開，韓宮人握住酒瓶的手陣陣顫抖著。

「還杵在那裏幹嘛啊？」

在最高尚宮催促聲中，韓宮人未能即刻行動，於是宋宮人跑上來把酒瓶奪過去硬把韓宮人的手壓在酒瓶上，然後靠前一步，走近朴宮人。

朴宮人悲傷的兩眼在虛空中迴繞，充滿血絲的眼中裝有千萬句的抗辯，但是韓宮人仍把附子湯倒進強制打開的嘴裏……

朴宮人的身子越是搖晃，宮女們的手掌越帶勁兒，湯匙無情地把嘴掰開，讓附子湯毫無阻礙地流入喉管……

當貓頭鷹激昂的叫聲停止的同時，朴宮人也脈搏全無地躺平了。

「大家給我看清楚，以後不准再發生這種不祥的事！」最高尚宮疾言厲色地說道。

韓宮人無聲地掉下眼淚，緊抱著朋友躺平的身軀。她身體還是溫熱的。最高尚宮並未制止韓宮人，於是韓宮人把衣袖中拿出的信塞進了朴宮人內裙衣帶中。

突然一陣騷動，似乎有人經過。

「把屍體藏起來，趕快離開！」

最高尙宮下了命令後先回過身子，崔宮人和宋宮人拉著朴宮人推進樹叢中。

過路人逐漸接近，韓宮人仍在哭泣，一隻強有力的手把韓宮人拉了起來，黑暗中又聽到貓頭鷹的叫聲。

在忽明忽暗的燭光下，崔氏等三名宮女一臉沉痛地坐著……

「立刻拭乾眼淚！」最高尙宮帶著不耐，大聲吼叫。

「其實不必做到那個地步……」

崔宮人的抗辯含著怨恨，在瞪視朴宮人時那種惡毒的氣勢已然消失了。

「別說那種孩子氣的話，種子不知何時會開花，花是會結果的！未熄滅的火種到頭來還是會竄上來的。」

「應該可以找出說服她而不殺她的方法吧？」

「妳這傢伙眞令人寒心，要知道心腸好可是保不住這個位置的。」

「……」

「今日所爲無非是爲妳打算，如果妳希望以後成爲水刺間最高尙宮的繼承者，讓崔氏家族的隆盛，就得仰賴這條路，別無他法這點妳可別忘了！」

「姑媽！可是我現在一點兒自信也沒呀……」

「靠著卑賤侍從的身分，我們家還有什麼方法可以累積財富啊？」

崔宮人的頭更低了，她的淚流個不停，弄濕了房間地板，坐在兩人中間的崔尚宮則是一臉悲壯。

「我們崔氏家中，自文宗以來出了五個最高尚宮，六個殿下的餐點侍從，在這個殺伐無情的宮裏，若不憑藉一些手段心狠手辣是無法立足的啊！」

「殺了人得到的榮華有什麼好光榮呢？」

崔宮人忽然抬起頭來對著最高尚宮。

「妳不能少說兩句啊？」

崔尚宮一叱責，崔宮人就閉上了嘴，最高尚宮氣得舌頭打顫。

「一家的命運怎麼交給妳這麼懦弱的傢伙來負責呢？」

「妳可知道最初進宮當宮女的五代先祖崔末姬尚宮，如何晉升爲最高尚宮的嗎？」

「……」

「她不斷給受褥瘡之苦的文宗大王進食豬肉！」

「有褥瘡的話，肉是禁忌，不是嗎？」

「正是！」

「那內醫院也不會不曾聞問吧？」

「重點就在此，那時候內醫院裏全是後來即位的世祖的人！我家先祖比誰都清楚實情，只是跟著權勢走罷了，但是如果不顧好本身的安危的話，怎敢做那種危險的事呢？」

「我也從小進宮，經過生角侍和宮女才到達這個位置，其中經歷宮女禮，再經人三十年的傳授才獲得廚房尙宮的任命書。若想成爲尙宮的話，還連續做三十五年才能接受正五品的品階，尙宮之路是多麼漫長、艱險啊，然而在這裏可以擁有自己工作的女人，只有宮女、醫女、妓女、舞女而已，宮女是其中唯一可接受品階的高貴身分啊！」

最高尙宮的聲音充滿悲壯，崔宮人此時停止了哭泣，傾耳細聽她的陳述。

「反正無非就是一場賭命之爭，拚個你死我活罷了！」

最後一句話的音調雖然很低沉，卻是深深鑽入了崔宮人的耳朵，像是要熄滅般閃動的燭光又再度燃旺上來。

朴宮人僵死般的身體抽搐、抖動起來，過了一會兒，她的兩眼雖打開了，卻感受到穿腸般的絞痛。朴宮人緊緊抱住肚子翻過身體，伸長了手臂，卻只抓到了濕草。朦朧間像是聽到了水流聲，她想，若這附近有溪谷，一定會有人經過。朴宮人開始抱定必死之心爬向水流的方向，然後再度失去意識。

充滿陽光的早晨，水邊樹枝上的白頭翁大聲鳴唱著，山路走得夠久了，天壽有點口渴，身上出了汗黏黏的，呼吸時還吐出灰白的煙霧。此時正值夏日，山中仍充滿了陰冷的空氣，天壽放下了包袱，在平坦的岩石中撐開雙腿，把手浸入溪水中。

「喔呵，眞涼快！」

立即的涼意使天壽不覺打起顫來，只不過舀了幾次水，全身的汗熱就消退了，正要蹲下身去時，不知什麼東西弄得手背發癢，定睛一看是一條長長的白布條，分明是女人家的衣帶。隨著衣帶移動了視線，他的眼光發現了一個女人著內衣倒在水邊。朴宮人趴在一塊平坦的岩石旁，頭傾斜著，流下的衣帶隨著水波搖晃著，一邊垂下的頭髮浸在水裏，像水草般任水飄盪。

天壽一個箭步跳過去搖了搖朴宮人。

「喂，醒醒啊！」

沒有回答，他把耳朵湊到女人胸前，也沒感覺到呼吸，再摸頭部、手腕，終於感覺到一點微弱的脈搏，天壽趕緊揹起朴宮人朝來時路快步急衝。

「師父，師父在嗎？」

天壽的腳還未踏進寺廟院子就先拉開喉嚨大喊。大雄殿邊門打開，一個手中握著木魚的僧人出現了，那就是幫他拆字的老僧。

「這女人快要死了！」

「趕快抬進房去！」

師父跑在前頭，打開房門。天壽輕輕放下朴宮人，老僧立即在她手腕上把脈，再打開嘴看看舌頭，掀開眼皮看看眼眸，然後他連連搖頭。

「怎麼樣？有希望救活嗎？」

「像是喝了附子湯。」

「附子湯……，是作爲死藥的湯藥嗎？」

「事實上，她尚未斷氣，一定只是喝了少量的藥，或者是服了解毒草。」

「那麼，能活命嗎？」

「必須得餵她喝解毒的湯藥才行。這得花些時間，在這之前最好先喝下綠豆濃湯，小僧去弄藥的時間，麻煩你餵她喝一點吧！」

「解毒雖有效，還得看結果才知道。」

出到房外，老僧就抓了藥湯器和綠豆囑咐天壽說：

「小僧去採解毒草，等綠豆滾爛了就餵她喝，湯灌進去會嘔吐，那是好的徵兆，必須繼續餵食。」

「我知道了。」

老僧一上路，天壽便蹲在藥湯器前努力搧火。他一路揹著暈死的女人跑山路過來，如今一蹲下來，兩腿已有些抖顫，即使如此，他還是得先讓快要熄滅的生命恢復神志。

端著綠豆濃湯進去時，朴宮人躺著似乎已然死去一般，天壽一時之間有些不知所措，好不容易才在她旁邊跪坐下來，開始舀綠豆濃湯餵她，自己雙腿無力的事他早已拋到腦後了。

朴宮人雖然恢復了神志，卻在地板上打滾，痛苦地翻來覆去，天壽面對這樣的情況，也只能端著藥湯碗而已。

「請再喝點兒啊！」

別說回話了，朴宮人連呻吟的力氣都沒有，只是無聲地搖搖頭。

「還是得再喝點兒啊！」

這回連反應都沒了，只見朴宮人用力抱著肚子在地上爬了一下，也許沒力氣了又再度趴在地上，天壽急忙把朴宮人翻轉過來，抱起來說：

「還有點氣，再吃點兒吧！」

天壽堅持地繼續餵她喝綠豆濃湯，雖然吐出來的比吞進去的還多，但他仍然不放棄，雖然天壽餵食的次數增加，朴宮人的身子卻是漸漸失去了氣力，可是，到最後，完全氣力耗盡的朴宮人胸懷又有了生氣。

採解毒草的師父回來的時候，天壽枕著門檻睡著了，走進裏面一看，朴宮人雖然像是氣脈盡無，可是似乎已經度過了絕境。

餵食解毒草並非易事，經過長時間的折騰，兩人都已筋疲力竭，連動一動手腕的力氣都沒了，兩人在確定朴宮人入睡了之後才離開房間。

山廟的夜十分寂靜，天壽和老僧把視線拋向黑暗中，此時只能聽聞彼此的呼吸聲，首先打破沉默的是天壽。

「她可以活過來吧？」

「雖然身子還抖動，可是似乎已度過難關了。」

「眞是幸運啊！」

「怎麼會喝上附子湯的，你聽說了嗎？」

「沒聽說，我在經過溪谷時發現她，就把她揹起一路回來啦！」

「官人，是您救了那個女人。」

「我救了她？你不是說她好像已經吃了解毒草了嗎？」

「即使如此，要是官人你未把她揹回來的話她一定沒命的，你積了大公德了！」

老僧一臉平靜，合掌之後回身離去。然而聽說是自己救了人一命，天壽心裏卻定不下來，心裏怦怦跳。

打開門走了進去，女人仍未清醒，天壽重新注視她的模樣，雖然受了重傷，那特殊的氣質是隱藏不住的，這個女人到底是做什麼呢？怎麼會吃下毒藥呢？是自己服用的嗎？還是被制伏之後，才被丟棄在溪谷的嗎？

一想到溪谷，天壽探進懷裏掏出紙條，唸唸有詞的祈求，紙張雖皺，可是上面妗、順、好三個字仍然十分清晰，師父說過「順」就是跟「川」有關、頭上帶水的女人。這個把頭浸在溪谷水中的女人！而且師父說是自己救了那女人一命。

「啊，難道這女人眞是那第二個女人嗎？那樣的話，雖然我救了她，她會因我而死？」

天壽茫然的望著朴宮人，女人的模樣突然變得可怕起來，她顫抖著的背後，月亮照著窗紙上竹葉的黑影打出一個鮮明的「竹」字。

第二章　順

天壽原本打算就此離去，雖說救了一個並不相識的女人，可是有件事會因他而死非得先去阻止不可，心裏盤算著乾脆一走了之。然而當他坐在石階上穿鞋時，一聽到房裏傳來的嘔吐聲，又不由自主地跑了進去，看到朴宮人正用內衫摀著嘴忍住嘔吐。

「別摀住，要吐出來才能活命啊。」

天壽把預備好的容器拿到朴宮人的面前，拍拍她的背，幫助減輕嘔吐的不適，髒污的酸液一湧而出，令人訝異那麼單薄的身體怎裝得下如此大量的穢物。

經過一番嘔吐，朴宮人多少鎮靜了下來。

「稍稍——再躺——」

宮女內傷的嘴唇尚未恢復，連出聲都有困難，天壽連忙舉起手來表示明白她的意思。朴宮人爲了要躺下而扭彎著腰，一瞬間天壽瞥見掉落在被子一角的紙條，便順手拾起來拿給她，看得朴宮人立刻面色如紙。

她顫抖著的手指打開了紙條，睜大的眼眶裏再度充滿了淚光，紛紛滴落在撕裂內裙上攤開的信紙上，好像是在水刺間用墨魚汁或墨汁蘑菇匆促寫就的。

明伊啊！

此刻我手握著要取妳性命的藥瓶，不知如何是好。

唯一想到的是細草葉（遠志的嫩葉）能解附子湯的毒，便從水刺間翻找了出來。

如果妳死了，不必寬恕我。但若是能活過來，就務必牢記我的囑咐。

我絕不相信妳與別監有私通情事。

雖然並不知曉事情的來龍去脈，但妳絕不能讓宮中的人知道妳還活著，所以無論如何，妳絕對不能回來。

求求妳千萬不要有回宮的想法，能逃多遠，就逃多遠吧！

即便妳怨恨我那天無能爲力，只能跟著丟下妳也好，求求妳務必在世上某個角落努力的活下去。

明伊把書信讀完之後仍不住落淚，連本想離開的天壽也只能手足無措的站在那裏，不知如何是好，彷彿世上再沒有比懷抱此信痛哭流涕的女人看來更加悲淒了。

當晚，微亮的煤油燈將女人的身影映照在紙窗上，一路閃爍到深夜。

天壽輾轉難眠，一整夜未能闔眼，待曙光初現就飛也似的跑到湯藥罐前去，心想明伊綣縮的身子若不勝悲傷而昏厥倒下就糟了。哭得那樣悲切，或許從此淚盡而亡，實際上，說不定那樣還是幸運的呢，奇怪的是一想到這女人若走了，心中某個角落就有種無法言喻的空虛。

天壽端了藥碗站在房門前，一顆心無來由地轟轟直響。

「我可以進去嗎？」

「請進。」

看來她雖暈眩，卻未昏厥，門內傳來的聲音，聽來甚至意外的平靜。

明伊起身來面對天壽，她已經換上了一套可能是師父要來的民婦布衣。頭髮全部梳了上去，露出飽滿的額頭，模樣端莊，裂開腫起的唇上雖然還殘留血跡，但天生麗質，難以掩抑。

慌亂的天壽端著藥碗站也不是，坐也不是，更無法與她四目相對。

「您請坐！」

天壽這才矮下身來坐在地板上，那沾染血汗的被褥也不知收到哪裏去了。

「您救了我的性命，不知該如何報答才是。」

眼見明伊要向他行大禮，天壽下意識地站起身來推辭。

「不要這樣。」

但明伊仍舊行禮如儀，不知如何是好的天壽只好也跟著相對還禮。

「請寬宥，我無法報答您的恩惠！」

「妳此刻身心俱傷，還是趕快恢復元氣要緊。」

「請容我帶著您的救命之恩，就此離去。」

「妳現在就要走太勉強了。」

「我已經可以走動了，不能再麻煩您了。」

「妳要到哪裏去呢？」

明伊無言，臉上浮現似笑非笑的表情。

「妳毫無準備怎麼上路……」

「哪裏還需要做什麼準備，只要沿著路走就行啦！」

「妳的身子還不算大好，一個女人家拖著病獨自上路是很危險的。」

「反正是死過一次再活了過來，現在可以說是什麼都不怕了！既然是什麼都不怕，我想就算一無所有也能活得下去。」

回想自己可是戰戰兢兢過了十四年才離開，明伊的話不禁聽得天壽膽顫心驚，雖然不知道她是看開一切還是自暴自棄，但害怕是人的本能不是嗎？總要先想辦法阻止看看。

「我相信妳身無長物，但也可能因而更加危險啊，畢竟人心險惡。」

「您這番心意和救命之恩，我會銘記於心，永遠不忘。」說完，明伊毅然決然的上路了。

天壽無法阻止也不想再阻止，唯有目送她漸行漸遠的背影，綁在髮辮上的紫朱色辮結，在青色山脈的襯托下顯得愈發火紅。

「第三個女人欲殺你……」

記憶中的道士聲音拖住了天壽的腳踝。

「為了自己活命，眞的要讓那可憐的女人獨自上路嗎？」

那女人並非有地方可去，而是此地無容身之所才不得不走啊。

「第二個女人你欲救之卻因你而死。」

但就這樣任她走掉，結果也可能死在途中，身無分文，又沒有可去的地方，就這麼上路實在太危險。

接下來，天壽就跟在女人走過的路後追趕，他動作敏捷、沉靜又靈巧，就像是女人身後的影子，也預備像影子般遠遠跟在後面，直到她找到棲身的地方為止。

明伊來到離自己摔落的溪谷不遠之處，默默行了大禮，揣摩那個方向應該正朝著昏暗的宮殿屋頂，行完禮之後，明伊以悲切的眼光遠眺王上所在的天際良久，強風冽冽吹著她為了走遠路而特地換上不起眼的短褂，讓遠遠地瞧著她這模樣的天壽，內心也颳起了強風。

才剛想著難道她就這麼不走了嗎？眼中的明伊卻已邁開腳步，風勢漸強，天壽突然嗅到了雨的氣味。

尚未走出山路，夜就降臨了，雪上加霜的是跟著雨又降下，明伊雖然加快了腳步，但是泥濘的山路，穿著宮鞋走來確實不便，在沒有星星月亮的黑夜裏，再怎麼走也始終不見民家出現。

不知是否被樹根絆到，明伊忽然滑倒，卻也沒叫一聲疼，只默默地站起來，緊擰著衣袖。

反而是天壽差點叫出來，他看到她一隻宮鞋陷入了泥地，好想從泥濘中把宮鞋找出來，親手為她穿上，這念頭令他手指發抖，也好想跑過去揹起那女人一路跑下山去，但是，天壽什麼也沒能做，因爲每次想要衝到在她面前時，道士的聲音就會在耳邊重現。

「第二個女人你欲救之卻因你而死。」

可以幫忙卻不能幫，只能眼睜睜看著，這種比無能爲力教人更加難過的感覺，天壽算是第一次嘗到了。雨勢沒有變大，但也沒變小，只是繼續的下著，連站在遠方的天壽也能感覺到明伊的身體在發抖。

明伊再也撐不下去了，往周圍巡視了一陣，總算找到一棵粗大的樺樹，好像可以暫時避雨的樣子。這時天壽也才稍微放心，他找了一個可以看到明伊的樹叢坐了下來，就這麼睜眼熬過整夜，漱漱的雨絲穿落樹葉，打濕了天壽的身子和內心。

天一亮，明伊又開始趕路。

不管是走在前面的女人，還是跟在後面的男子，都整整餓了一天了還在不斷的走。天壽包袱裏的糯米粉雖沒被打濕，卻無法容許自己一人塡飽肚子。只能偶爾減慢腳步，小心不讓耳聰的明伊發現自己，舔舐溼樹葉來解渴。

「那個女人到底要到什麼地方去啊？」

看她方向並非朝南，而是往江原道走，即使那兒是故鄉，可能也無法回父母家，或許根本就沒有預定的目的地。

水聲一變大，溪谷就出現了。明伊在那兒把脖子抹濕，再把鞋子、套襪都脫掉，發現腳傷得很厲害，幸好溪水變豐即意味著村莊不遠。天壽一面環視著變暗的山色陰影，一面等候明伊起步。

溪谷的水流與河川匯合的地點果然有亮著燈籠的客棧，正在飲酒的男人們瞟著獨自走進來的明伊，若非那傲然的眼神，別人一定會把她當成是個行乞的女人。

明伊的雙眸直盯著熱騰騰的湯飯碗無法離開，卻又不能毫無廉恥地要求店家免費給她一碗湯飯吃，只能眼巴巴地望著店家酒保，天壽趁這個時候找到了通往廚房的後門。

明伊終於還是找了個空位呆呆地坐下來，想不到酒保竟給她端來了四腳小盤，還說：「請用。」

四腳小盤裏裝的是一碗粥和一小碟醬油，脖子上雖戴著客棧裏少見的項練，但餓壞了的明伊也沒想到那裏去，只是直話直說。

「謝謝你，可是我手中沒錢。」

「錢就不用了。」

酒保硬生生地吐出這句話後，也沒工夫招呼，回頭就走了。

天壽等在通往外頭的廚房門間。

「我已經遵照你的吩咐煮了粥，請付錢吧！」

酒保攤開手，從天壽那邊接過足夠的銅板。

「今晚請準備睡舖，明早等她出來時，再到村裏的皮匠那裏幫她買雙牢靠耐穿的鞋子，還有別忘了吃的。絕對不能提起我，要是她問起，你可得好好的應付著！」

「知道了。」

兩人就這樣過起漫無目的的趕路生活，天壽在白天裏做著影子，天黑之後，也從不露面地照看著明伊夜裏的安全，始終保持一定的距離跟在後面，若發現障礙，必定先繞到前頭去解決，不止一次的幫她開路。碰到沒有橋的河道就搬石頭墊好，讓她踩著過河，有堆積阻礙物時，便獨自一人搬開清除，隨著天壽暗中幫她開路的期間，明伊受傷的五臟六腑也一直在復原當中。

終於來到二埔江了，過了此江就是江原道，二埔江渡口的客棧街上，盡是來來往往或四處聚集的出外人。這回天壽尚未出手安排，明伊便已經找到一家客棧。她跟酒保說好，隨即跟酒保進廚房，端出四腳小盤說：

「這兒擺幾張桌吧！」

幾個粗暴的男人過來找酒喝，酒保立刻推明伊前去招呼他們。

天壽看得火冒三丈，但仍決定先看看情勢的發展再說，就在明伊放下酒食轉過身子的時候——

「別走，過來。」一位酒客率先吆喝。

「這女人，臉蛋長得還眞不賴。」另一位跟著輕佻出口。

「給我倒上一杯！」爲首的索性指揮道。

「我大哥叫妳倒酒，妳沒聽到啊？」

這群男人不是可以輕易打發掉的樣子，明伊掙扎了半晌，終於像是豁出去了似的抓起酒瓶，說時遲那時快，天壽就在此時跳了出來，也不管三七二十一地一把抓住明伊的手腕便想要脫離那個地方，但那幾個人也立刻圍堵過來。

「你幹嘛？」

「閃開！」

「你這傢伙想找死啊，你瘋啦？」

說著很快地飛來一拳，可是天壽的動作更快，對手挨了一記倒退，天壽眼看其他人都要上來的樣子，立刻翻倒酒桌，拔腿就跑。

「那傢伙跑了。」有人發現喊道。

「抓住他！」立即有人呼應。

雖有多人追趕，但天壽緊抓住明伊手腕，立刻鑽進人潮。

等到完全看不見那群人身影時，天壽才想到自己還捉著明伊的手腕，急忙鬆開手並轉過身去。

「妳不能做這樣的工作啦！」

「……」明伊無語。

「妳根本不是做那種活兒的人嘛！」

因爲聽不見回答，天壽遂轉過身來，只見明伊無聲地落淚，只好再把頭猛然別開，一顆心臟糾結得無法再看下去。只好做出一副光火的樣子，揮動手臂，大步向前走去。

明伊先是眼睜睜看著自己跟天壽越隔越遠，接著便不知在心底做了什麼決定，開始跟著他走。這麼一來情勢逆轉，變成了天壽走在前面，明伊跟在後頭，天壽一加快腳步，明伊也就加快速度跟著走。

在夏日的陽光底下，兩人就這麼一路無言地走著，偶爾也會有滾石、風吹的樹葉和驀然高叫的鳥鳴夾雜在兩人之間。

經過了險峻的斜坡上到山陵，廣闊的平野一望無際的呈現在眼前，繼續沿著連一片樹蔭也無的丘陵走，長滿一路的忘憂草和童子花倒也教人欣喜，越走腳下層層疊疊的稜線漸行模糊，直達天邊。

穿梭於稜線期間，天壽一次也沒有回頭看，即便一顆焦灼的心根本放不下，卻好像深怕一回頭看，就無法再放那女人走似的。

終於來到了下坡路，天壽索性放開大步跑起來，女人的腿果然經不起跑，每舉一步就會引起碎石滾動，到底是自己腳下的石子還是女人踩落的也分不清了。天壽只顧著向前跑，山路跑完，平地出現，但他並沒有停下來，轉過彎就是河道，山腳下雖無渡口，但仍有一個拉縴的老船伕靠在停泊的船上打盹兒。

「咱們快走！」

天壽催促船伕，船慢慢划開，在陽光的照耀下，水面閃耀一片銀波，像開出數千朵陽光之花一般，他突然覺得心口刺痛，彷彿水波也在胸中開出千萬朵陽光之花，晃得他心痛。

「怎麼會有這種心情呢？難道，這顆心將成為害死那可愛女子的匕首，不成……」天壽在心中深切自問，難道只能祈求隨著時間的流逝而將她自然的淡忘？

直到此時天壽才敢回過頭去望了望山腳，但才看一眼，一顆心就像要奪胸而出似的，眼前所見盡是沒有搭上船的明伊，她像村子口豎著的木偶（路標）一樣呆站在那兒，眼睛直視這邊，臉上浮現世上絕無僅有的哀淒表情。

不知道是因為明伊，還是對著自己，天壽心中突然湧現原因不明的悲傷，接著便從老船伕手上搶過槳來，將船划向了明伊，完全聽不見船伕的高聲吶喊。

「我，會因我而……」

天壽上氣不接下氣地來到明伊面前，連話也說不完整，而明伊望著他的眼早已泛紅。

「雖然我救活了妳，但妳卻會因我而死啊。」

天壽一口氣把昔日道士告訴他的話全說了出來，然後靜待明伊的反應。

「所以，跟我在一起的話，妳會有生命危險的。」

「但我的生命早已經不是我的了。」明伊用著泫然欲泣的表情看著天壽，毅然的提出要求：「拜託請收留我。」

天壽聞言大驚：「我說過妳可能會因我而死，這樣妳還要跟著我嗎？」

明伊再無一語，只以那轉為沉靜的眼神，如水波般將天壽攏入深處。

人群聚住的村落裏只聞鐵鎚敲打的聲音鏗鏘作響，草房與草房間遍地都是爬上土牆的黃瓜樹藤，長長的絲瓜吊在屋簷底下搖搖晃晃，煙囪裏冒出的炊煙如同吹散的銀白髮絲飄向天空，一輪蛋黃般的紅日散發出灼熱的光芒。

反覆傳來的鎚打聲一停，就聽到燒紅的鐵器插入水中的嘶嘶聲震撼人心，在樹枝綑圍繞的鐵匠舖裏，身材魁梧、氣宇軒昂的鐵匠正努力地敲打鐵錘。

一個女孩疾步跑下山來，往鐵匠舖裏探頭探腦，八歲模樣的她看來聰明伶俐，一臉淘氣。

「父親……」先小心翼翼地叫了一聲，然後缺了兩顆門牙的小嘴才咧嘴笑開來。

「父親……」

聽到她急切的叫聲，做父親的就知道女兒進來了，一見到她，立刻打從心眼底笑到見牙不見眼，過了八年的鐵匠生活，天壽赤膊的身材仍然結實。

「捉到了嗎？」

父親一問，女兒又露出缺牙笑了，一副得意洋洋的神情。

「捉到啦！」

把原本藏在背後的東西拿出來，竟然是一隻剛死不久，尚有餘溫的兔子。

「還有誰一起……？」

「母親呢？」

此時做母親的已經來到孩子背後，所以天壽就閉上了原欲開的口，又抓起了放下的鐵錘。

父親動作一變，孩子就看出苗頭不對，果然一回頭便迎上母親冷冽的目光。

「跟我進來。」

明伊口氣嚴肅，孩子用眼睛向父親發出求救的訊號，可是父親卻裝做沒看見，一味地敲打著炙熱的烙鐵。

「妳還在幹嘛？叫妳跟我進來啊！」

女孩不得已，只好跟在母親後面，可是兔子仍緊捉在手裏不放，一進房裏明伊就先拿出藤枝條來。

「把褲管撩起來。」

孩子認命的拉高褲腳，似乎早知會有這個結果，小腿上早已布滿了深深淺淺的斜條痕。

「不是告訴過妳，不要跟男孩子們一塊兒上山去嗎？」

綁成一把的藤枝條一打下，孩子細皮嫩肉的小腿上立刻又新添了鮮紅的斜條。

「是恩成說想要抓野兔……」小女孩試圖解釋。

「還敢說是恩成，他不是進士家的少爺嗎？我不是告訴過妳不要跟那些官家的子弟在一起的嗎？」

再揮動藤枝條抽，這一下似乎比先前抽的那下更大力，但最痛的，其實是孩子心中的委屈。

「我本來只是想到學堂去一下就回來的，但恩成一直抓著我要我去嘛。」

「什麼？妳又到學堂去……」明伊更加氣急敗壞。

孩子話一出口才想到「糟了！」趕緊裝出無辜的表情。

「妳又去學堂偷學識字了嗎？」

「母親……」

「是不是？」

就在孩子點頭的同時，明伊手中的藤枝條又抽了過來。

「不是叫妳不要到學堂附近去露臉的嗎？」

本來勇敢忍受抽打的孩子，這下終於忍不住放聲哭了出來，並且邊哭邊問：

「恩成啊，尹、尹權他們都到學堂去上學……爲什麼只有我……只有我不能上學堂呢？」

孩子的臉上有著怎麼樣想也想不通的悲傷模樣，哭到厲害之處，便連話也接不下去了。

明伊沉默不語，小女孩則嗚嗚咽咽的哭個不停，做母親的看得滿心不捨，終於收起了怒氣，把孩子拉過來溫柔地緊緊抱住。

「長今啊，為母的告訴過妳的話，妳都還記得嗎？」

「您說過恩成，還有尹權是官家的少爺，而我是低賤白丁的女兒。」

「是啊，白丁階級是不能學識字的。」

「為什麼？母親……」長今始終不明白。

「因為白丁是低賤的階級。」

「可是我喜歡學識字，我比恩成學得還好呢！」

「這是不行的，官家的子弟讀了書出任官職是理所當然的事，但白丁的女兒要是讀了書，可能就會惹出大禍來，我要說幾次妳才會聽得懂呢？」

長今閉起嘴巴不再追問，那固執的嘴形就跟天壽一模一樣。

可是明伊還是得說：「這世上兩班做的事，中人做的事，良人做的事都早已規定好，白丁也有規定好的事要做，一旦違背想學兩班的話，生命就會有危險。」

儘管她心裏也想，說這話對孩子而言稍嫌殘酷了些，但既已經出口，若是不堅決地把醜話說全，這有強烈好奇心的孩子將來會做出什麼樣的事來可是很難說的，但就算是這樣，長今聽了依然不洩氣，反而眼睛一亮，抬起頭來仰望著母親說：

「可是母親，我們並不是白丁呀！」

明伊聞言背脊都涼了起來，偏偏對這一點長今還很自負的樣子，一臉的理直氣壯。

「什麼，妳說什麼？」

長今一看到母親臉上沒了血色，就曉得自己說錯話了。

「妳再說一遍，妳是從哪裏聽說我們不是白丁的？」

「父親他……是武官……」儘管害怕，長今仍然不敢不回答。

明伊又驚又氣，只覺得眼前一片昏眩，完全失去了平素的安靜沉著。

「妳是從哪裏聽來這些話的？從哪裏聽來的？」

「那……，是我看到了父親的武官服……還有號牌。」

心生害怕的長今指著衣櫃再度放聲大哭起來，但明伊仍毫不猶豫的舉起藤枝條，天壽就在這時打開房門跑進來，長今也趁勢抓好兔子，趕緊躲到父親身後去。

「是我的錯。」天壽對明伊坦承。

「夫君，請讓開。」

「都說了是我的錯啊，因爲她纏著問那是什麼，所以……」

「再怎麼問也不該說，你怎麼能對這不懂事的小傢伙說那些話呢？」

「我說的是能讓她明白的話。」
「光那樣還不行，過來這邊！」
雖然明伊瞪大眼睛喝令，但躲在天壽身後的長今這回可不願再次乖乖聽話。
「還不立刻給我出來？」
「夫人，我說過她是懂的啊！」天壽繼續爲女兒求情。
「這次非得牢牢叫她記住不可。」
說著就伸手要把長今拉過來，可是天壽的動作更快，一把將孩子揹起就走，一面擠出靦腆的笑容。「交給我來辦。我會再說一次，一定讓孩子聽懂，並要她保證絕對不說出來。」
「夫君……」
明伊跟在後面追出來，心急鞋子便老是打滑，正想把鞋穿好時，一個黑影突地閃進鐵舖，竟是一名穿著草綠圓領衫制服的尙宮。
「有人在嗎？」
揹著孩子跑出來的天壽猛然打住腳步，夫婦齊齊心驚緊張起來，迅速交換了一個不安的眼神。
「我是在生角試負責挑選的訓育尙宮。」

明伊急忙擋到天壽面前，彎下了腰行禮。

「是，請問有什麼吩咐？」

「有事到這附近來，湊巧聽說你們這家打造的腰間掛刀很好，所以特別過來看看。」

「這是我們的榮幸。」

「可以拿給我看看嗎？」

「我們只做客人交託訂製的東西，沒有另外多餘的可供展示，您要看看目前正在打造的嗎？」

「好吧！」

天壽仍然站在門邊，進退兩難的坐立不安，直到接觸到明伊示意他出去的眼神，才一臉忐忑不安的離開了舖子。

來到溪邊，把長今放了下來，天壽不禁重重歎了口氣。

「現在我們兩人都有麻煩啦！」天壽率先開口。

「爲什麼？父親……」長今有些不解的問。

「我違背了跟妳母親的約定，對妳透露了祕密，所以糟啦！」

「那我呢？」

「妳讓母親知道妳知道了祕密，所以也糟啦，現在小腿難保囉。」

聽父親這麼一說，孩子也長嘆了一聲，父女倆在溪邊蜷縮並坐下來，輪流嘆息。

令人心曠神怡的清澈溪水上，漂浮著百日紅的花瓣緩緩流去，長今順手撈起一把，水從指間滑落後，僅剩滿手的粉紅花瓣。

「這是什麼花啊？」天壽問她。

「百日紅。」

「對啦，因爲花期耐久而叫百日紅，而且捉搔樹皮的話，葉子會動，所以又稱爲怕癢樹。」

「我只有一個名字，爲什麼這花有兩個名字啊？」

「花名多沒關係啊！」

「爲什麼沒關係呢？父親。」

「因爲它沒有耳朵啊。」

「那人呢？」

「人啊，比如說，妳要是有好幾個名字的話，爲父的每次叫妳都得先考慮要叫哪一個，妳也會搞不清楚到底有沒有人在叫妳而混亂，所以才決定只取一個名字叫長今，這樣每次叫妳，妳就明白啦。」

「是母親跟父親約定好要這樣叫的嗎？」

「是啊，是我們約定好的。」

「母親好兇，太過分了。」一說起母親，長今立刻心有不滿的說。

「在我看來，妳更過分，妳為什麼那麼不聽母親的話呢？」

長今聽了又嘆了一口氣，天壽覺得女兒這模樣既可愛又可嘆。

「妳那麼想要學識字啊？」

「是啊，父親。」

長今說得興起，使用纖瘦的手指在泥地上畫，「天」字隨即奇妙的出現在天壽的眼前。

「『天』用這個樣子寫出來真是好玩，還有父親您看，遙遠的『玄』字這樣寫也真新奇。」

天壽發現她「玄」字也寫得相當好。

「真的有那麼新奇好玩嗎？」

「父親不覺得如此嗎？」

「為父認為妳更奇妙。」

「父親……」

「嗯？」天壽應道。

「父親什麼時候要再當中人呢？」

突然拋出教人答不上來的問題是長今的特長。

「這個……」天壽果然不知如何回答。

「只有父親當中人，我才能夠隨心所欲的學識字，甚至可以當譯官，對了！父親乾脆改做商人吧！」

「妳喜歡商人嗎？」不知道如何回答，只好反問女兒。

「那樣的話，我不就可以到中國去啦？跟著父親去，爬萬里長城，看看是不是眞的有萬里長啊！」

天壽又覺得心中一陣刺痛，這孩子想做的事有這麼多，卻偏偏過著白丁女兒的日子，想起來就令人滿心苦楚。

「長今啊！」

「您別擔心，父親，」聽出他的不忍，長今率先搶道：「我知道。」

「是嗎？妳知道什麼？」

「不要對任何人提起那些事。」

「直到什麼時候呢？」

「直到父親說可以說了爲止。」

「萬一洩露了會怎樣呢？」

「父親、母親和我全部都得死。」

長今的雙眸雖然炯炯有神，卻又滿載悲傷，看得天壽忍不住掏出原本是以後才要給她而收著的三色流蘇垂飾。

「漂亮吧？」

「哇，是三色流蘇垂飾。」

「這是妳跟爲父做了約定後，我獎勵妳，送給妳的禮物。」

「父親！我眞的可以把它帶在身邊嗎？」

「當然囉，把墨水筒、毛筆筒和小刀分別掛著，妳喜愛識字，就帶在身上好了，不過小刀可不是給妳拿來刺自己身體的喔。」

「那麼是？要用來做什麼的呢？」

「妳不是常在山上或野外玩嗎，不是每樣東西都想試探看看嗎？帶著小刀，可以應付各種緊急狀況。」

「到野外去小刀是可以用，但墨水筒和筆筒就沒有用處了啊。」

長今的童言童語逼得天壽笑開來：「呵呵，妳怎麼不直接問問兔子呢？」

「我問過啦！」

「結果呢？」

「牠沒回答，也不說話，我又無法抽打牠的小腿，眞是教人納悶。」

「妳還眞壞！」天壽又因爲長今的狡辯笑了起來。

「我不懂的還有喇叭花爲什麼是長了葉子以後再開花，杜鵑花卻是先開花呢？」

「那是因爲杜鵑花個性急躁。」

「花也有性格啊？」長今好奇。

「每一種花既然都有名字，就該各有性格，」講到這裏，天壽突然喚道：「長今啊！」

「是，父親。」

「不管什麼時候妳都是長今，永遠都叫徐長今，千萬不要忘記這件事。」

「父親，爲什麼要這樣說呢？」

「不管爲父的是白丁也好，中人也好，妳永遠是徐長今這個事實是不會變的，這就是妳名字的意義，就因爲妳只有一個名字，明白嗎？」

長今雖然點著頭，但其實並不瞭解父親話中的意思，她雖然聰明，終究不過是個八歲的孩子。天壽眺望遠山看了一陣子，才忽然想起了鐵舖，隨即站起來，再抱起孩子。

「回去找母親吧。」

「今天訂做的話，何時會打好呢？」

摩挲著小刀的訓育尚宮眼色冰冷，明伊趕緊轉開身，專心研究起交貨的時間。

「大約要五、六天的工夫。」

「知道了，那就訂製三把小刀吧。」

「您什麼時候有空過來呢？」

「我去一趟眞玄谷，回程時再過來。」說完也沒等明伊回答就走出了門外，然後又忽然斜睥著眼問：「妳曾見過我吧？」

「小老百姓怎麼會見過尙宮嬤嬤呢？」

明伊雖努力假裝鎭靜，但臉已經紅到耳際，幸虧訓育尙宮沒再追究就離開了。

此時天壽正好回來，長今貼在父親腿後，偷偷瞄了一眼，然後開溜跑掉，天壽蹙眉問道：「是不是認識的人呢？」

「噢，她訂做之後就走了。」明伊並沒有做正面的回答。
「那麼還會再來囉？」
明伊還是避重就輕地說：「看來是夫君的小刀打造得太好。」
「那以後得打得差些。」
「你也真是的，哪有打鐵這麼說的？」
「不是啦，我的意思是打造得粗劣一些，免得再有陌生人聞風而來。」
天壽直樸的回答，讓明伊不由得笑了出來。
等到做晚飯的時刻，明伊留下天壽，走進了廚房，長今正往豆芽菜籃子裏加水，方才哭腫的眼睛還是紅紅的，但專心撒水的樣子純真可愛，好像已經忘了挨打的事了。
明伊佯裝沒看見她走到灶頭前，一面生火，一面把米放進鍋，瞟一眼正在摘撿豆芽的女兒，自然而然的露出微笑，這個時候她也不過是個十足天眞的女娃兒，雖然是自己十月懷胎生出來的，卻常有完全抓不著頭緒的感覺。
明伊把蘿蔔切絲、搗碎蒜頭再切蔥，然後排列整齊，手藝純熟，一時之間廚房裏只聞輕脆的砧板切菜聲，突然又安靜了下來，回頭一看，發現長今正用豆芽菜在排「天」字，明伊立時有心被撕裂的感覺，早該要求她在眼界未開之前就徹底斷念才是，這個孩子，到底要拿她怎麼辦好呢？

「長今啊！」

想不到孩子連母親的呼喚都聽不到。

「長今啊！」

「嗯？」她終於聽到了。

「妳眞的那麼想要學識字嗎？」

「是的，母親。」

「那從明天起娘可以教妳。」

「眞的嗎？」

「當然，但是妳不能再到學堂去露面。」

「母親也識字啊？」

「聽到了沒？」明伊只是繼續問道：「能不能答應我再也不要到學堂去。」

「好，母親，我答應您。」

長今雖然回答得很爽快，但是做母親的無論如何還是放心不下，因爲孩子一高興，其他的話似乎就只當成了耳邊風。

「娘的心情……長今啊，娘的心情就怕失去妳跟父親，妳千萬要記分明。」

「您別擔心，母親，我答應您不再去學堂，父親的祕密也會牢牢的守住。」

女兒的表情純眞誠摯，明伊與她對視半晌後，決定相信她一次。

「母親是什麼時候學識字的啊？」

滿心興奮的孩子只覺得太好了，不禁開始自言自語起來：

「父親說得對，母親畫畫得好，衣服也很會做，菜又燒得天下第一，父親還說就算母親用泥巴做飯，也會一樣的好吃。」

女兒的話既讓明伊覺得幸福，也攪動了她深埋於心底的不安。

「父親說叫我學母親，說希望我將來長大了，可以變得跟母親一樣。」

當晚天壽夫婦一直到夜深時刻都還未吹熄煤油燈，明伊忙著爲已經睡著，不知天高地厚的長今療傷，搗爛藥草敷在白胖的小腿上，她幾乎每隔一天就挨抽打，所以傷痕層層疊疊，顏色不一。

天壽的雙眸輪番地望著妻子跟女兒，伺機說：「都是我不好，對不起。」

讓妻子多麼爲難，光從她的聲音便可知道梗概，更何況明伊做事向來用心，只聽得她說：「我知道是因爲這孩子樣樣都看在眼裏，所以她死纏著你追問。」

「其實我是想給孩子一個希望才說的。」

「……」明伊無言以對。

「聽見妳說白丁是不可以學識字的身分，孩子不曉得有多麼的失望難過……」

「我擔心的是這個希望到最後不知道會不會變成一場奢望。」

「可妳的處置好像太過於嚴厲，長今就像妳一樣聰明伶俐啊，而遇事驚惶失措又像我，這出身的事怎麼騙得了人呢？」

「就因爲出身是不能欺瞞的事，所以才更教人擔心啊！」

「夫人！」

天壽的呼喚無比溫柔，直視妻子的眼眸深處，如此專注深幽的凝視是前所未有的，平時他是眼光接觸一久都會不好意思的人。

「我們把道士的預言給忘掉吧，執著於那個想法也夠久的了，一切不過是『偶然的巧合』罷了，第三個字就當做跟我們無關的事情好了。」

「夫君的意思我明白，也想那樣相信，不，是必須那樣，非得要那樣相信才行。」

意外得到妻子的附和，天壽一臉燦然，只可惜那樣的表情並未能持久。

「然而就算那預言不準，我們平日生活還是得小心又小心才行，」明伊說：「即使能夠躲過預言，但想要取我性命的尙宮們還好好的活著，加上聽聞當今殿下的行事殘暴，幾達難以形容的程度，一句話不合上意，即被當場處死的例子多不勝數，雖說昔日廢后之事他尚未得知，卻也難料是否會有奸人一五一十地上告……」

明伊邊說邊不由自主的顫抖起來，令天壽不得不把已到嘴邊的話給吞了回去。

「我們能保住一條命已經算是叨天之幸，還是不要再給她無謂的希望吧，該教她的反而是就算沒有任何希望，也可以活下去。出身不好又怎麼樣？我們一家三口能夠這樣活著，已經謝天謝地了。」

不要給她無謂的希望，應該教她就算沒有任何希望，也都能夠活下去；靜靜聽著妻子說的天壽內心響起的卻不是那樣的聲音，對放棄希望的人來說，那或許是適當的說法，從死亡的恐怖當中掙扎過來的人才聽得懂，也可以接受的道理。

但那並不適用於長今，這孩子一顆求知的心如同芝麻葉般，不管斬斷多少次，還是都會再度堅強的抽葉發芽，只要把根伸進土裏，枝幹照射到陽光就絕不會停止生長。好比當年明知道他可能會死，明伊還是決意跟上來，也像自己明知道有人來要他的命，終究還是無法拋下明伊一樣，雖然救了她一命，日後卻仍可能因自己而亡，但還是不能不救，孩子的希望也是一樣的啊。

各自沉浸在自己思緒中的天壽和明伊為沉默所掩蓋，這一夜夫婦倆輾轉反側，均無法入眠。

七個月後，當今王上燕山君的權臣任士洪家中無聲無息的抬進一座轎子。這是個不見一絲亮光的幽黑夜晚，任士洪在舍廊間與一個身著素服的老婦對坐，兩人均動也不動，彷彿視線被矇住了，沉默緊繃，幾乎連呼吸聲也聽不到。

「大監大人。」聲音謙恭又緊張，分明是在昭告苦等的人來者身分不俗。

「主上殿下出來了。」

任士洪立刻起身準備迎接主上，但就在他移動腳步之前，王上已經先向老婦衝上來，外婆與孫子先是慢慢互相觸摸，然後便抓住對方哭了起來。廢后生前沒觸摸過龍袍，更別說是得見龍顏了。燕山君雖已貴爲當今王上，可是一見到外婆，他就搖身一變而爲缺乏親情撫慰的孫子，平日不敢輕彈的珍貴眼淚再也不加珍惜般的一股腦兒決堤而出。

想要做的事情有千條萬項，做祖母的都暫且先放在一旁，振作一下精神，把帶來的包袱拿出來，任士洪解開之後，即照廢后尹氏的遺言把沾著血漬的錦衫轉交給兒子。

「殿下……，」外婆對著孫兒泣訴：「這是……你母親臨死前所流的血，她一面吐著血一面交代我等待殿下即位後再轉呈，請求殿下幫她索回凝結在這血漬中的恨……」

孫子追問痛哭流涕的外婆。「誰？謀陷母后的人是誰？」

「主上殿下……」

「請告訴我，寡人一定要爲她報此冤仇，當初謀陷不論是功臣、先王的後宮，全部都要加以追索，有冤報冤、有仇報仇，就算是太后，在寡人刀下也絕不能活，說出來吧，一個也不要漏，全部說出來。」

那天晚上景福宮思政殿裏，大小臣子聽召進殿分坐東西兩旁恭候王上駕到，王上一登上御座，便以殺氣騰騰的眼怒視眾臣，這時大家都還估量不到，事情即將逆轉。

「今夜是要請各位討論廢后尹氏的謚號和陵號的事宜。」

修撰權達壽首先上前來，表示不解。「殿下！這是什麼御命呢？」

左議政李克均也積極進言：「殿下！這件事先王有遺詔，要我們別再予以討論，還是懇請殿下明察之後再做出了結吧。」

王上停了一會兒竟大聲喊道：「來啊！立刻將這些逆臣抓起來下獄！」

臣子間立起騷動，但王上眼中根本沒有臣下，心中也容不下任何反對的意見。

「內禁衛在做什麼？還不趕快把這些傢伙抓起來下獄！」

內禁衛兵士聽命進來把二人拉了出去，直到這時臣子們才知道事態嚴重，有些人甚至開始發抖。

「主導我母后慘遭賜死的王族們！沒有進言反對的大小臣下！奉命行事的官員！奉送賜死之藥前去的軍官！調製藥劑的內醫院醫官！卜瑜造墓並安置棺木的內禁衛兵士！一個也不能漏的全部給我抓來！立刻就捉！現在就行動！」

王上眼露粗暴的兇光，這天是燕山君十年（一五〇四年）三月二十一日，史稱「甲子士禍」之日。

人滿鼎沸的市集裏，太平簫的樂聲聽來興高采烈，長今撫摸著佩戴的裝飾，像兔子一樣豎起了耳朵。

「父親，前面好像要舉辦宴會呢。」

「是啊，好像是。」

剛好宴會牌舉過父女面前，於是長今拉起天壽的手便跟著走，天壽看到了聚在公告前騷動的人群，卻壓根兒沒想過那和自己會有什麼關係，完全不曉得那是抓拿自己的貼榜，在畫著三個男人的榜文中，天壽的臉龐顯得特別突出。

宴會牌在摔跤場前停止了行進，場內身材魁梧如山的壯士互相捉住對方，一使勁，瞬間就將對方過肩摔倒在地，引起了觀眾一陣呼喊。

這好像是一場押注了相當大筆賭金的摔跤賽，莊家把錢點算清楚後交給了兩個一臉傲慢的兩班。

接著這兩個兩班又下了比上一盤更大的賭注，莊家於是在摔跤場中央氣焰高張的喊著說：「還有誰要上場來跟這位壯士較量的嗎？」

觀眾群中一陣騷動，卻不見有人上前，此時站在父親身前的長今突然魯莽的開口，令圍觀的群眾立刻讓出一個通道來。

「父親，您上場去試試嘛！」

明知童言無忌，天壽這回仍有些怪她出言不遜，只好裝做沒聽見，無奈長今卻堅持的叫：「父親！」

「喝，胡言亂語，眞是不像話！」

「父親您的力氣不是大到連大石頭都可以一把舉起嗎？還有再重的鐵塊也搬得動。」

「不要再說了！」天壽企圖讓女兒住嘴。

但長今依然不死心。「過去試試嘛，父親。」

「我們馬上離開這裏。」

天壽心想都怪自己讓長今站在前面，這個什麼都不知道的孩子眼看著就要惹出麻煩。

「這裏！我父親要上場！」長今非但不走，反而大聲叫道。

這下所有人的目光都轉向了天壽，莊家更是直指著天壽問：「喂，你敢上來比劃比劃嗎？」

人們的眼神再如何輕蔑都無所謂，但他卻不能不管充滿希望和期待的長今，天壽拗不過女兒，終於走向前去。

他一上場，四周立時響徹歡呼聲，莊家忙著收錢，觀眾則興致勃勃的大聲吆喝，為天壽打氣。

兩個幾乎同樣高大的壯漢在沙地中央抓緊了彼此的褲腰，各自使勁卻都扳不動對方，這樣持續了好一陣子，然後對方的胳膊突然用力，又以腳對天壽的腿肚發動攻勢，天壽就把握住這個空隙，用盡全力抓牢對方，再把他給壓制倒地。

競賽三場，每場都如此結束，勝負已定，觀眾幾乎鬧翻了天，長今更是跑到場上去跟父親擁抱。

「贏了，我父親贏了！」

可是賭贏的人想要收錢時卻出了意外，引起大夥兒議論紛紛。

「什麼呀？」

「怎麼回事?」

「這小子，一定有犯規使詐。」

莊家乾脆找起碴來指出：「這個傢伙現在看清楚，不是在東鎮谷打造刀子的白丁嗎?」

這話一出口，連那些原本要收取賭金的人也都被趕了出來。

「髒兮兮的白丁鬼，瞧你這破爛樣，平常是在哪兒混的啊?」

「白丁鬼竟然也敢到這裏來撒野?」

輸的人似乎如此還無法洩憤，乾脆揮拳相向，不過天壽根本沒有與他們抗爭的意念，奮力鑽出包圍的人群，只想趕快找到長今。

「這小子拔腿想往哪兒跑……」有人發現了大叫。

天壽邁開結實的雙腿，排開眾人忙著找長今，卻被後面的人抓住，接著一群人就好像早等在那裏似的衝上前來用力的踢他、撞他、打他，根本連閃都沒得閃，立刻被淹沒在群眾拳頭下。

「長今啊!」

天壽就算已被踢倒在地上爬，口中仍叫著長今，並且清楚的聽到女兒在尖叫之後爭辯的聲音：「不是啦!我們不是白丁，我父親是守衛王上的軍官。」

群眾立即停下動作，紛紛回過頭來看長今。

「我是說我父親不是白丁啊，是軍官，是守護王上的內禁衛軍官。」

長今一邊悲傷的放聲大哭，一邊再三反覆的說。

天壽跟眾人都不發一語，打破這片靜默的是那個莊家。

「對啊，就是這傢伙。」

「好像是之前看過的相貌！」

「噢啊！就是這傢伙沒錯！」

成群結隊跑過來的男人對著天壽沒頭沒腦的一陣拳打腳踢，直踢到他無法動彈為止，然後綁住手腕拉起來。

「父親，父親！」長今拚命排開眾人，好不容易抓住了天壽的腳踝。

「你們不要拉走我父親，請你們放了我父親！」

莊家粗魯地扯開長今甩到地上去，孩子幼小的身軀就像被鏟子鏟除的泥團一般，一把飛出去掉落在地。

「長今啊！」

天壽叫著女兒的嘴唇裂開了，衣服被撕裂，全身搖搖晃晃，尋找女兒身影的眼睛也幾乎睜不開，可是靠著一定要救長今的念頭，天壽終於還是站了起來，儘管全身痛到扭曲，依然揮拳朝旁邊男子的腰間打過去，讓他口出哀號，抱緊肚子滾倒在地，此時另一個人又衝上前來。

天壽靈巧的避開並揮了一拳，想要跑向長今，不料頸後刷地一聲被某樣黝黑的尖物抵住，原來不知不覺當中兵卒們已持長矛靠近，天壽再也不能動了，立刻就被五花大綁的捉住。

「父親！」

女兒的慘叫聲比自己的皮開肉綻更痛，天壽想叫她別叫，更別跟來，卻又怕引起兵卒的注意，只得拚命壓制住，焦急的看著孩子。

「父親，父親！」

長今跑上來，嚇得天壽對著女兒拚命搖頭。

「別叫我也不要跟來，就算妳一個人，也要想法子逃走。」

心裏剛想著這樣含血慘叫，不曉得有沒有被識破，已看見一個男人撥開了聚集的群眾，過來掩住了長今的嘴，天壽一看清楚他是誰便安心下來，那是同村的昌代，一定會把長今交回到她母親手上，直到這時天壽才可以放心的閉上眼睛，任由兵卒處置。

廚房裏瀰漫著豆瓣醬鍋的香味，明伊一看到跑進來的長今就開始找搜尋天壽的身影。

「父親呢？」

「……」長今完全說不出話來。

「爲什麼這樣？」明伊注意到她衣衫不整，表情慌亂，不禁更加緊張。

孩子嚇得更只會掀動嘴唇，一句話也說不出來。

「爲什麼只有妳一個人回來？父親呢？」

「……」還是一個字都說不出來。

「妳趕快說話啊——」明伊已達厲聲的程度。

「父……父……，父親……」

「是啊，長今，父親在哪裏？」

「被，被抓走了。」

瞬間感覺如有一支火湯的鐵籤從頭頂貫穿到胸部似的，明伊眼前一片昏黑，但仍勉強自己鎮靜下來。

「被抓走了？這是怎麼回事，被誰抓走？」

「參加摔跤大賽……」長今說得支離破碎。

「摔跤？長今，我越聽越迷糊，妳得跟娘把話說清楚啊！」

「父親摔跤得勝之後就……」

此時宗珠澤揮舞著雙臂走進來，她是昌代的夫人。

「長今的母親在嗎？孩兒的父親要我來轉告，大事不好了。」

「到底是怎麼回事？」

「說長今的父親是以前殺死王上生母的軍官耶！這是眞的、假的？」

明伊努力穩住發軟的雙腿，卻感覺自己已經被突如其來的絕望給打倒了。

「商店街上貼滿了長今父親的畫像，難道你們都沒看見嗎？」

「那麼我家夫君現在到底怎麼樣了？送到官衙去了嗎？」

「不，是直接去了監營，御命下達說要把殺死王上生母的人全部都抓起來，孩兒的父親說長今跟母親也不知道會怎麼樣，還是趕快避開的好啊。」

一聽到這話，明伊忽然起身說：「長今，趕快進房去收拾行囊。」

「爲什麼？母親！」

「我們得去找妳父親，也許路途遙遠，可得把行囊結實地紮緊包好。」

到剛才爲止，還一直因恐懼而不停發抖的模樣已不知去向，如今明伊的臉上只餘誓要找到丈夫的悲壯神色和堅決的意志。

第三章　好

「已經發送到漢陽義禁府去了，妳晚了一步。」

酒保的第一句話就這麼說，用一支天壽鍛造的銀簪到監管官衙去打聽，換來的是如此無情的結果，淚水無法抑遏的流下面頰，但明伊也無暇去擦，隨即拉起長今的手說：「我們走吧！」

「要到哪兒去？」

「漢陽，押解妳父親的隊伍比我們早出發了半天，想要趕上他們的話，得不眠不休的一直趕路才行，別再耽擱，趕緊跟上來。」

「是。」

「妳在妳父親被抓走前還見到他，娘卻連人都沒看到，現在不管有什麼事，我們都得先見到妳父親才行。」

明伊滿心焦灼，偏偏無人可說，只能近乎獨自的嘀咕。

這是八年前跟天壽一塊兒走過的路啊，當時金色陽光照耀下的江面閃爍，躲也躲不開的冬風狂颩，童子花盛放的稜線滿布著滴水的融雪，沿著繽紛的花道，跟著天壽走在風中是多麼幸福的時刻……想到這裏，明伊的淚水紛紛墜落，誰想得到她有朝一日又會走回當年走過的路呢。

天壽爲了保護她打倒大漢的酒店還是老樣子，一打聽到天壽他們一行才離開約莫一頓飯的時間，明伊又開始趕路，就算夜裏走在山間，仍舊一刻不停息的往前趕，回想往日似乎是用盡了全身力氣在走，與如今相比，又顯得不是那麼費力了，現在一邊滿心忐忑，不知道還能不能再見到丈夫，得不斷與持續湧現的驚懼對抗，一邊還得揹著幼女趕路，箇中的絕望，眞是筆墨所難以形容的。

遠處傳來的狼叫聲，更好像山中的野獸都跑了出來，在這漫漫黑夜裏四處流竄似的，這個時候揹在背上的年幼女兒反而成了唯一的依靠。

終於來到都城附近時，母女倆已經都蓬頭垢面，活像沿街要飯的乞丐。

「長今啊，都城就快到了，再撐著點啊！」

「是，母親。」

雖然立刻回答，明伊卻聽出那是快要哭出來的聲音，看來即使心裏再怎麼爲丈夫的安危感到焦慮，也得先找個可以暫時休息的地方才行，早上及午後曾給孩子吃過飯糰，但現在天已經黑了，幸虧一過了彎道就出現了村子。

乍看以爲是民家，走近才發現好像是酒店，院子裏鋪了一大片酒麴，還看到幾個大酒缸。

「有人在嗎？」明伊喊了兩、三聲，一扇門才咿啊打開，探頭出來的女人眼神閃爍，一臉狡詐。

「什麼事？」她抓搔著蓬亂的頭髮，睡眼惺忪地打著呵欠問道。

「有事想要請教妳。」

「說吧！」

「請問有沒有看到義禁府官員的押送隊伍經過？」

「妳問這個做什麼？」

「因爲有非知道不可的事情。」

「付錢。」女人吐出兩個字來。

「什麼？」明伊還以爲自己聽錯了。

「妳自己不是說一定得知道嗎？既然是那麼重要的事，怎麼能夠白白告訴妳呢？」

「就這麼一點事還得付錢……」

「不想知道就算了，我睏死了，別再來吵人。」

「要多少錢？」

「重要的事要五分。」

現在也沒有辦法計較了，明伊無可奈何的拿了五分錢給那個女人。

「沒經過。」敲了五分錢，女人的回答也眞簡單。

「那麼是往哪邊去了呢？」

「這也不能白說啊，再出五分錢。」

明伊幾乎都要哭出來了，可是若這麼走掉，先前給的五分錢就白花了，只能再給她五分錢。

「在驛站歇息，凡是要進都城裏去的人，都得經過這個山頭，晚上到的官員就會在那裏歇一晚，翌日清晨才離開，這樣行了吧？」

快速吐完話的女人，像剛剛打開門時一樣，一把就又把好像快要散開的門給關上，從頭到尾，近乎無賴，但明伊也無能爲力。

「娘去確認一下再回來，妳在這兒休息一下。」

也許是累壞了，長今連話也說不出，只是點頭，這時門又打開了。

「想要到屋裏來休息的話，得再給錢喔。」

可是明伊已經走出了院子，長今也感覺這女人的態度太可惡，於是就一邊往外跑一邊喊道：「我會到屋外休息，不用妳擔心！」

從驛站回來的明伊在附近旅閣找了一個房間，不知去哪裏弄來了一套男孩子的衣服。

「長今啊，從現在開始妳得打扮成男孩的模樣才行，因爲想抓我們的人一定會跟在後面緊追不捨。」

「好。」

穿上男裝雖不心甘情願，長今倒也不囉嗦，實際上由於極度的疲憊，加上不斷的自責，現在就算丟給她乞丐的衣服，她也會照穿不誤。

「漢陽不同於咱們住的村子，是個危險重重的地方，妳一定要聽娘的話，知道嗎？」

「知道了，母親。」

明伊把長今轉過來按坐在自己的兩腿間，打散原來綁成辮子的頭髮，希望在旁人眼中她就像個男孩。長今覺得改變髮式的梳法奇妙，明伊則覺得以女孩的標準來說，長今的膚色稍黑，但髮質漂亮，完全遺傳自母親，想弄成蓬鬆模樣的話，恐怕還得沾上些泥巴才行。

「夫人在嗎？」外面傳來輕柔的聲音。

「是，就來了。」

明伊放下梳子，打開房門，女僕點頭示意明伊跟她往旅閣的後院走。

那裏有個身穿胥吏服，揹著包袱的男子，正仰望著天空，深墨色的夜空高掛著一輪明月。剛剛去驛站時，偶然得悉這家旅閣的主人正是獄舍長的堂兄弟，於是以捉住最後一線希望的心情，不惜拿出了精製小刀和幾支銀簪，準備好要苦苦哀求獄舍長。

自始至終都沉默不語，光聽著的獄舍長方一出聲便獅子大開口。

「噢，妳別做夢了。」

「我一定會盡己所能酬謝您的。」

「就算把全天下都給我，也不能放他一條生路啊！」

「豈敢請求您放人，只希望您能讓我們見上一面。」

「就算只是那樣也很爲難，總不能要我提了腦袋去冒險吧？我可是連一隻鳥跌落下來都要負責的啊，可以說一隻腳都已經踏上黃泉路了。」

明伊繼續哀求：「只要說一句話就好了，讓我站在稍遠處說一句也可以。」

「根本不可能嘛，妳這女人就別在這裏找罵挨了，我看妳還是趕緊走吧，王上的心情聽說一日數變，別說是當事者，就連親人家族都想一併誅滅呢。」

「就算當場要我死，我也了無遺憾，只要一句話，只要讓我說一句就好了。」

「唉，妳這女人還眞是死心眼，依我看，妳何必要爲沒有活路的人犧牲性命呢，還不如保住性命，好好照顧年幼的女兒才是。」

獄舍長忽地生起氣來拂袖離開，這下眞是連最後一絲渺茫的希望也沒了，近乎徹底的絕望。

明伊在不懂世事睡著了的長今身旁睜大眼睛，無法成眠，不管後果會如何，都必須與天壽見上一面，她有話要當面告訴他。

想到這裏，明伊索性掀開棉被，起來寫信。

昌德宮的水刺間離王上寢宮大造殿頗遠，要給王上上御食的時候，得先在退膳間裏做安排，餐後點心水果則是由生果房負責準備，退膳間於是又稱爲配膳室，水刺間的菜式在這裏配置好之後，待提調尙宮告知提膳時間，隨即送進暖炕房保溫，以確保饌食不致冷卻，保管至御膳時間再端出，所以暖炕房就等於是保溫庫一樣。

雖然各人負責的食物是分開準備的，但在水刺間裏，宮人卻是按照前後左右排好的位置坐著工作，生角侍則在另一邊從蔬菜開始準備起各種食材。

水刺間尙宮在其中轉來轉去，仔細檢查各式食材準備的過程，八年的歲月像是無聲無息的滑過。除了衣服和頭髮的式樣改變了之外，明伊跟離開的時候幾乎沒有什麼兩樣，反觀韓尙宮穿著鑲邊短褂，顯得神氣又漂亮。

一個宮女一臉慌張的走進來，馬上趨前向韓尙宮報告說：

「嬤嬤，鮑魚全都用完了。」

「什麼？怎麼才沒多少時候鮑魚就全都用完了呢？」

「眞的是全用完了。」

「那可是好多人辛苦弄來的鮑魚啊，怎麼會才一個早上就全用光了呢？」

「那……那個……首先是因爲連日不斷的宴會，還有每天早晨承受王恩後的宮女，我們都得一一侍候……」

「我知道了，妳趕快去看看是否有大蛤蜊？」

韓尙宮看著急忙出去的宮女，雖然教了她解困的方法，仍然擔心如果鮑魚都用完的話，大概大蛤蜊也所剩無多。

海溫庭裏的宴席和燈戲連日不斷，先是加高後苑西側的牆，擋住外來的眼光，以便恣意嬉戲，經過幾年之後，去年更乾脆把東、西兩側圍牆外的民家全部拆離，甚至派採紅伎、採青伎到各道（縣）去尋求美女跟駿馬。近來更由於成均館❶鄰近後苑的關係，大有想要將其遷移的意思，還左右大動工程，挖了個大蓮花池，堆砌起瑞蔥台，以便泛舟，這麼一來又非得動員數萬名的工人和監工才行，傳聞已在進行當中。

君主荒淫到這個地步，水剌間當然是一刻也不得閒，從全國各地進貢的食材雖然大排長龍，但材料卻沒得囤積，蒙受寵幸的宮女一個晚上總有數個。照這樣下去，水剌間宮女遲早將專爲宮裏服侍王上的女人進食而忙碌不堪。

韓尙宮一臉擔心，無法釋懷地穿梭在宮女之間，一名男工「巴只」夾木炭進來，先瞟了韓尙宮一眼，才在一排灶口前生起炭火來。

這個巴只完成工作後並沒走，臉色略帶緊張行動也有點奇怪，一直密切注意身邊的動靜，一見韓尙宮離宮女們稍遠，便趕緊靠近過來。

「有什麼事嗎?」韓尙宮問道。

「是的，嬤嬤，小的……」

他從懷裏掏出東西來交到她手上，原來是一封摺得方正的書信。

「……」

❶朝鮮時代的教育機構，主要是教育儒生的場所，相當於國立大學。

「有個女人說只要轉交給嬤嬤就行了。」

「女人？她有報上姓名嗎？」

「只說嬤嬤看信便知。」

「知道了，你可以走了。」

巴只身影一消失，韓尚宮即打開書信，但第一行都還沒看完，又立刻摺起來塞進袖管裏，水刺間裏的韓尚宮，眼色五味雜陳，立刻前往最高尚宮的房間，氣味尚宮也在裏面。

「嬤嬤！發生了緊急狀況，得立刻出宮一趟。」韓尚宮恭謹的報告。

最高尚宮皺起眉頭問道：「什麼事啊？」

「內侍部來下達了傳謁說明天早膳要上海鮮鍋，但材料都用光了，似乎得同內官朴氏出宮採購。」

「昨晚沒有從內資寺❷進食材嗎？」

「說是太后殿有急需，就送了一半過去，現在卻發現剩下的一半不夠好呢。」

「怎麼會有這麼教人厭煩的事？」

最高尚宮擺出不悅的表情，原本坐著聽的氣味尚宮也站了出來。

「韓尚宮必須親自出去採購吧？」

「正好內資寺胥吏以及司饔院胥吏都不在位上，此時又湊巧沒有空閒的巴只。」
最高尚宮長嘆了一聲，點頭說：「知道了，那妳就去吧。」
「奴婢一定快去快回。」
跟來時完全不同，韓尚宮一關上最高尚宮的房門，行動就匆忙起來。

約定地點是蕩春台一座獨立的亭子，卻不見明伊的身影，只有冽冽的風聲打破寂靜，這一帶是當今主上喜帶妓女們來放蕩嬉戲的地方，所以定名「蕩春台」。後來歷史上李貴、金鎏、李適等聚集於此，做下重大決定起義廢立光海君❸時，曾在井邊磨刀洗劍，遂改名為「洗劍亭」。

山高水清，這裏是京都十詠之一，名列其中的蕩春台，深沉幽靜，難怪會成為君王放浪形骸的所在，但在燕山君臥躺美人膝的此刻，又怎麼想得到日後會有臣子在獨岩谷密謀舉事「仁祖反正」（綾陽君政變），然後經此地前進彰義門的一天呢。

因為焦急等候的關係，韓尚宮一刻也站不住，不停頓足的走來走去，分明是明

❷管內宴的官衙。
❸一六〇八年—一六二三年時的朝鮮君王，後被擁立仁祖的臣子推翻。

伊的筆跡，但也可能有人居中僞造搞鬼，等候總是會產生不斷高張的緊張感。

終於等到明伊出現在眼前時，韓尚宮反而感到一陣暈眩。

「妳還活著，還活著呢！」她百感交集，只說得出這句話。

「是啊！」明伊的回應更加簡短。

「眞是謝天謝地，妳還活著。」

兩人相擁，分別之後的種種心緒俱在不斷流淌的淚裏，重逢理由卻是連淚也流不出的悲傷。

「妳怎麼會牽扯進這件事呢？」

兩人對泣了一陣子之後，韓尚宮盡量把情緒連同聲音穩定下來。

「民間聽到的那些傳聞全都是眞的嗎？」不過還是由明伊先發問。

「我眞不知道要從何說起。」

「罪無分大小，連受先王御命的醫官們也全都遭受到殘刑的事，是眞的嗎？」

「當今王上的暴政是我們前所未聞，也前所未見的呀，不久前才在一場妓生與臣子同在的小宴上，把直言的內侍金處善大監給當場射殺了。」

這下眞是沒有生路了，自己還能撐到現在完全是靠著或許還能見上一面的奢望，如今看來已經押送的天壽，好像眞是毫無生還的機會了。

明伊無法捨棄天壽，還沒遇見第三個女人呢，不是嗎？只要第二個女人，也就是自己還活著，只要還沒見到第三個女人，天壽就還可以保住一條命。

因爲這個想法，而再獲得力量的明伊，不禁捉緊韓尙宮的手用力握住。

「白英啊，眞是抱歉，好不容易見面，卻一見到面就拜託妳這種萬分危險的事，可是請妳一定要救救我，如同過去一樣，除了妳，沒有人會幫我呀！」

「好，我會盡全力試試看，前天左右被義禁府下獄的話，目前人應該是在獄舍裏，我們不要放棄希望。」

「我眞是沒臉見妳啊！」好友捨命答應，明伊既感動又感慨。

「我只痛恨自己的力量太微薄。」

「千萬不要這麼說……要不是妳，我早就沒命了，妳可是發覺了她們的計畫後，抱著一塊兒死的決心，爲我準備了解毒草，甚至還冒險寫了書信，是妳跟長今的父親救了我，我欠你們的救命恩情，這輩子是要怎麼還啊，我……」

「明伊啊！」

兩人又再度相擁而泣。

「因爲是最後一程，所以想來道別，請網開一面。」

韓尙宮用沉著的語調，誠摯地懇求。

「妳說請託的女人不是妻子，這話不會是謊言吧？」

義禁府都使斜睥著眼問道，不像是被打動的樣子，韓尙宮焦急起來。

「我沒見到他妻子，拜託我的是罪人的兄弟。」

「知道了，後天午時前帶來義禁府吧。」

事情意外地順利解決，韓尙宮忐忑的心好不容易才稍微安定下來，現在只剩下將此事轉告訴明伊，這個念頭一起，不禁加緊腳步。

「就這麼辦，今天也別忘記在路過通渲房時，買些乾魚物回來。」

最高尙宮輕易地允許了出宮的事，原因是得到寵幸的一名宮女突然要人設法取得牡蠣，若想要把承受王恩的宮女數目弄得一清二楚的話頗費氣力，最高尙宮也不想去追究了，但她對匆匆消失的韓尙宮，仍施以仔細觀察的目光。

建築物旁傳來裙襬擦過的聲音，出現的是崔尙宮，也就是八年前在呈給太后的食物中加入搗爛的川芎和草烏的崔宮人。拿到任命狀後，她現在已經正式成爲尙宮，當年問說有必要將明伊殺死，哭著抗辯的模樣已不復見，只留下身爲一個尙宮該有的威嚴，眼神是森冷淡漠。

最高尙宮和崔尙宮之間無話，只交換了眼色，最高尙宮點了點頭，崔尙宮就快步跟上。

韓尙宮並不知道有人跟在後面，只惦著要告知明伊而努力加快腳步。

先到達蕩春台亭子等候的是明伊，崔尙宮躲在亭子下的樹蔭後，緊閉著嘴忍不住的直打哆嗦，做夢也想不到的會再同時出現的兩個人，竟然活生生在她面前露出興奮的表情。

一得知事實，崔判述就用一定是看錯了的口吻問道：「喝了附子湯的女人，怎麼還能活著到處走動啊？」

「所以才來稟告啊！」

「不會看錯嗎？」

「一點不錯，正是朴明伊。」

「怎麼會有這種事？當初你應該確認她是否斷了氣的，怎麼沒能依姑母囑咐妥善處理？」

「因爲那時突然有人接近……」崔尙宮企圖辯解。

「就是這樣，留下了禍根。」

「所以才糟糕啊，當初向上面報告說是因爲急性腸胃病而過世的，現在忽然出現，若是把我們的事情向上呈告，就算提調尙宮嬤嬤站在我們這邊，大概也不會就此罷休，那事情不就鬧大了嗎？」

「嗯……」

「懷恨在心的朴宮人會向誰去告發也毫無頭緒，另外不能不留意的是，宮內虎視眈眈，知道我們家族跟任士洪大監攜手的人也很多。」

「任士洪大監如今也非常擔心殺死太后娘娘——先大王太后的事，會不會引發政局動盪啊。」

「即使不會，最高尙宮嬤嬤也說過，跟任士洪大監還是保持距離比較好。」

「姑母說過那樣的話嗎？」

「除了繼續搜索累積殿下的動態之外，這次由獄舍到朝廷的氛圍很微妙，懂得找對人結盟雖重要，但也得留心整體大小勢力的變化，聽起來是隨時都可以改變合作關係的意思。」

「確是如此。」

「反正這事兒若有個差錯，可不只是我或最高尙宮的問題，弄個不好，我們家族全體都可能受到牽連。」

「知道了，以後的事就由我來斟酌處理，妳回宮去吧。」

「那就拜託哥哥，我先走了。」

崔尚宮緩緩起身，但崔判述的眼中，只是專注地盯著燭火，他的眼睛漸漸瞇細，想到生死交關之際，又忽地瞪大，彷如無色無味，卻蘊含惡意的燭火一般。

韓尚宮檢視了王上午膳要用的花麵，做好一切確認之後，便匆匆出宮，準備要到蕩春台去會明伊，想要趕在午前帶她到義禁府的話，時間算來十分緊迫。

特地從後頭的崇智門出去，突覺後腦勺一熱，但韓尚宮並沒有往後看，反而盡量裝得泰然的繼續往前走，不過一到市場街，立刻一腳踏進了布莊。

「哎唷，嬤嬤上街來啦？」

在布莊老闆熱絡招呼的同時，打雜的小夥計也在一旁哈腰鞠躬。

韓尚宮假裝看布料，眼睛卻往下瞄，透過半遮住臉的外袍，看到了燒廚房的鄭宮人。她不知道自己盯梢的目標已經發現自己，便經過了布莊，停在甕器店前環顧四方，分明是從宮裏一路尾隨出來的。

「嬤嬤要找的是……」

韓尚宮的視線茫然越過店主停駐在鄭宮人身上，突然心生一計。

「可以先幫我做件事嗎？」

「請說。」

「只是讓小夥計跑跑腿而已……」

就這樣她差小夥計去蕩春台見明伊，韓尙宮自己則留在店裏裝做挑選布料的樣子，果然鄭宮人對布莊出外的小夥計瞧也不瞧，就只躲在對面甕器店裏注視著韓尙宮的一舉一動。

布莊小夥計走到蕩春台前方時，只見亭子裏頭有個眼帶焦急的女人和一個小男孩，不知道小男孩說了一句什麼，女人簡單回應之後，又伸長了脖子往來路張望，似乎沒注意他，轉過巷子再上去就是亭子了，小夥計加快了腳步。

可是就在此時，亭子後樹蔭裏猛然跳出一個蒙面男子，迅速將女人和小孩套進麻布袋裏，然後跑掉。

「結果就捉到崔判述尙端的私人宅邸去了，是吧？」

「是的，嬤嬤！」

偷偷尾隨前往看個分明後再回布莊的小夥計轉述了所見經過，韓尙宮聽完閉上眼睛頓感全身無力，本以爲事情能夠順利解決，怎麼一開始就被踩到尾巴了呢？現在該怎麼辦才好？韓尙宮幾近六神無主，若被捉進卑鄙又殘忍的崔判述宅內的話，等同於沒有希望再活著出來了。

兩行眼淚奪眶而出，韓尚宮全身乏力地跌坐在布莊地上，心想如果是被送到義禁府去的話，還可以期待天命，但崔判述家就全然無望，當年他們想加害太后娘娘，一被明伊發現就強迫她喝附子湯的事，不就是崔氏家人所爲的嗎？

韓尚宮咬緊嘴唇下定決心，馬上把小夥計再叫過來，拜託他跑一趟捕盜廳，不管如何，當宮婢保住性命都比不明不白死掉來得好。

「明伊啊，請饒恕我，但我現在也只能這麼做了。」

好朋友的命運實在太過悲慘了，韓尚宮無人可恨，也只能埋怨毫不相干的老天爺。

門一打開，月光就投射了進來，照得明伊眼睛發痛，但爲了看清楚進來的男子，她仍勉強睜開眼睛，嘴巴被馬嚼子勒上無法出聲，令大眼睛裏蘊含的恐懼更加鮮明。

是素昧平生的男子，即便做中人打扮，但渾身上下散發出來的權威仍不輸於兩班（官家）。明伊混沌的意識中依稀浮現了崔氏家族的身影，全身因絕望和驚懼而顫慄不已。該男子的視線轉向長今時，她更是幾乎連氣都快喘不過來，被灌附子湯那晚的驚恐全數回籠，徹底復活。

「還有個小男孩，我怎麼沒聽說……」

判述一說，後面的隨從之一個慌忙接口說：「我們去的時候就只有這兩個人，大人！」

「崔尙宮會過來，到時再讓她確認一下好了，務必須隱密處理，知道的人越少越好，萬一事情洩露的話，你們也別想活了。」

明伊一聽到崔尙宮三個字就滿心驚愕，到底跟崔氏家族結了什麼冤仇，竟連丈夫都還沒見著，便要死在他們手中！飛濺的淚水沾濕了馬嚼子，一樣又怕又累的長今看到母親這樣，已經連哭也哭不出來。

崔判述一行出去後門又關上，再度墜入黑暗當中，八年前那晚的情景歷歷重現，想不到會在黑暗中看見更黑暗的事。

崔判述出了庫房移步走向舍廊幢時，大門那裏突然敲門聲大作，執事急忙跑去開門。

原以爲是崔尙宮來了，往外一看，竟是捕校（捕盜長）登門時，判述頓時啞然無語。

「有人看見大逆罪犯的家小進入這座宅邸，馬上把他們給我拖出來。」

判述直覺事有蹊蹺，便對執事示意不必客氣。

「這話是什麼意思？」

「捕盜廳接獲告發狀，說看見罪犯徐天壽的家小進入這裏，請立刻交出窩藏的罪犯來。」

「我是六大都會大邦崔判述，歸屬在哪一位大人的庇護之下，不說你也應該明白吧？」

「我很清楚。」

「我怎麼有可能把罪犯的家小給藏起來呢？還不收回你那不當之言，馬上離開。」

「不行！」再也想不到這位捕盜長會如此鐵面無私：「來啊！給我把屋裏徹底的搜！」

瞬息之間，捕卒四散，這麼一鬧，判述的眼中也表露出些許驚慌，數十把火把照亮了宅邸，捕卒和僕人混雜在一起，整個院子彷彿亂成一團。

捕卒們很快就搜出了明伊和長今，於此同時，大門開了，這回走進來的才是崔尚宮。

「大監隱匿罪犯的行事，必須向上告發。」

捕校的表情證明此話並非威嚇，判述亦未答腔。

「走吧！」

正要被捕卒帶走的明伊跟無言靜立的崔尚宮錯身而過，兩人的眼神在虛空中交會，交換著疑惑與不甘、控訴與蔑視，最後是崔尚宮先把視線轉開。

她等這群人離開，並確定執事把大門關好之後，才跑向判述追問：「該怎麼收拾這件事啊？」

判述臉色凝重，一言不發。

「一旦從捕盜廳轉到義禁府，那麼揭發當年的事，就只是早晚的問題而已，那麼我們對先王太后娘娘所做的事就會被知道了，不管當今王上再怎麼討厭先王太后娘娘，爲了匡正內宮命婦綱紀，絕對不會就這麼算了。若是那樣，我們這一家人便會成爲全家族之累。」

「夠了！爲什麼要如此喧鬧不休？」

「大哥……」

「妳就算不喋喋不休的亂嚷嚷，我也會先弄清楚再設法處理。」

「你要怎麼做呢？」

判述沒有回她話，僅以下巴示意那邊的執事過來。

「去把筆頭（首犯）帶來。」

說要帶筆頭來，執事和崔尚宮終於都閉上了嘴。

一行人正走上隱約可見昌德宮屋頂的山坡路，也就是說離義禁府不遠了。義禁府，依照經國大典的記載，是超過捕吏，高居五衛之上的官衙。只依王命來審問罪犯，凡王族犯法、國政犯、叛逆等大罪，子孫忤逆父祖、司憲府讁發之案，或其他等級官衙拖延過久、難以判決的案件，均交由義禁府來裁決。但是到了燕山君時代，義禁府已然淪爲君王倒行逆施的工具，甚至是處決忠臣的恐怖政治的代名詞。

即將被送到義禁府的明伊，表情反而隨著心情緩和下來，因爲比起崔家，義禁府要安全上百倍，而且，雖不敢期待能夠見到丈夫，卻至少能與他同在一地。

可憐的是長今。

「讓年幼的妳經歷這些驚懼醜陋的惡行，委實爲難妳了。」

長今只是用大而無神的眼光仰望著母親，不過短短數日，臉蛋便由圓變長，看得明伊萬分不捨。

「不過娘此刻心裏舒坦，至少已經找到妳爹的所在……」

就在長今緊緊抓住母親裙邊的當口，明伊突然慘叫一聲，身子劇顫，原來是肩膀中了箭，肩頭迅速染紅成一片。

「怎麼回事？是誰在那裏？」

捕校對準山坡上的樹叢裏大聲喊叫，明伊也扭轉了頭望向那邊，埋伏的男子已把箭改而瞄準長今，明伊發揮母性本能地環抱住長今，箭如雨下，一支射入了明伊的腰，但她仍將長今抱在懷裏，無力地倒在地上翻滾起來。

「在那邊！抓住他！」

捕校一往前，捕卒們就丟下明伊和長今往山坡前進。

「母……母親！」

長今縮在母親身子底下嗚咽，不管有多害怕，都想掙脫出來，無奈咬緊牙關忍痛的明伊一時之間根本動彈不得。

「我……不……要緊。」

好不容易才調整呼吸吐出這句話，但一個蒙面的黑影已飄然出現，並逐步靠近過來，明伊抱住長今盡力打了個滾，企圖看清楚眼前的一切，發現一個做山賊打扮的男人正在拔插在地上的刀，分明是崔判述派來的刺客。

「捉住他！捉住那傢伙！」

剛剛衝過去的捕卒又往回退，但比起奮力衝過來的捕卒，自己跟刺客的距離還要近得多，明伊僅僅來得及瞄了山坡下一眼，就下定決心，緊閉雙眼，更加用力的抱緊長今，以自己的身體作支撐，盡全力的翻滾，母女倆行若一體，沿斜坡一路滾下山底的松樹林去了。

「結果失手了，是嗎？」

不知是不是爲了壓抑想大聲責罵的關係，最高尙宮的嘴唇輕顫不已。

「腰部中了箭，諒她也不可能支持多久了。」

話雖這麼說，崔尙宮自己的下巴也不由自主的抖動。

「眞是個生命強韌的禍根。」

「大哥說一定會把她的屍首給找到。」

最高尙宮只是抿緊了雙唇，不滿的斜睨崔尙宮一眼。

此刻的明伊正靠在洞窟壁上，用足了全身力氣想要克服那彷彿無所不在的劇痛，沒看到長今，不曉得她跑到哪裏去了。

或許是痛到痲痺了吧，好想就這樣閉上眼睛，卻又無法控制的落下淚來，原本計畫無論如何都想對丈夫說的話，看來終究只能永遠埋在心底。

「你說過了我會因你而死，但即使如此也請別後悔，我總是喜歡待在你身邊，就算知道只能再活一天，也還是會選擇留在你身邊。每天晚上都認爲這大概是最後一晚了，但即使一面想或許無法再見到早晨的陽光，一面還是想要留在你身邊，如此八年來，夜夜都睡得香甜，日日都過得充實，所以千萬不要愧疚悔恨，來生即使只能活一天，我還是一樣會選擇你。」這是她想對天壽說的話。

「呼……」但眞正出口的，只有這聲長長的嘆息，明伊的嘴角露出淡淡的微笑。

「我先走一步去等，要是丈夫來了，就能牽手上路，黃泉路遠，若能一起走的話，也是一種幸福！」

痛恨死亡的原因只有一個，那就是長今，一想到幼女將成爲孤兒，便如萬箭穿心的不捨，再重重嘆了口氣：「呼……」

要是老天爺垂憐，丈夫也還是有被釋放的可能，因爲尚未見到第三個女人，現在也許還不是他的死期。

「『好』字，女孩的女加上兒子的子……女孩加兒子……女兒加男子……」

爲了不讓意識渙散而強迫自己拆解「好」字的明伊突然對於腦中浮現的一個念

頭感到心驚。

「女兒跟男子遇上了就是個『好』啊！那麼長今她，她就是第三個女人？」明伊嗚咽了。

「第三個女人欲殺你以救眾人，也就是說雖然害了你，卻可以救很多人的意思嗎？如果長今沒在摔跤場上說出父親是軍官的話，天壽是不會被抓走的。」明伊想到這裏，幾乎已經肯定：「是的，是這樣沒錯，長今就是第三個女人啊！現在好了，我快要死了，丈夫也會死，這全都是人的宿命業障，第三個女人雖害了你，卻救活了許多人，這話不就是說失去了父母的長今也能夠堅強活下去的意思嗎？而且還會救人無數，世上還有比這更有價值的生命嗎？我這一個原本是只求多活一天都好的人，不但能在你身邊過了八年，還生下了你的孩子，所以現在好了，我先走，剩下來就只是等候你來相會了。」

想定之後，心裏舒坦了，原本壓抑的痛感也回來了，明伊自覺已撐不久。

洞窟外傳來了腳步聲，是長今紅著臉跑了進來。

「母親！妳看，我找到可以吃的東西了。」

一看長今攤開的東西，竟是葛根和蕨菜，蕨菜並非當令的蔬類，所以淡綠的葉尖又嫩又細，就連大人也無法在四月的山裏摘到這麼多啊。

「葛根是怎麼挖……的呢？」

「用父親給我的小刀。」

「噢，」看來自己剛剛的推論並不荒謬，明伊趁此機會問女兒：「父親……要是再無法見到父親……的話……妳要怎麼活下去，說說看？」

「……」長今沒料到母親會有此一問，霎時無語。

「要怎麼活下去啊？」明伊卻不能不問。

「父親常說要聽母親的話，以後我會好好聽母親的話。」

「萬一……連母親都不在了的話……到時妳又該怎麼……活下去呢？」

長今淚眼汪汪，對一個孩子而言，恐怕再沒有比這更難於回答的問題了。

「父親不在，娘也不在的話……到時妳要怎麼……活下去啊？」

「……」

「準備要餓死嗎？」再有萬般不捨，明伊也無法不問。

「……」

「或者任由自己病死？」她一定要予以確認。

「不是的。」

經由明伊的再三催促，長今終於吐出了三個字，但話聲中隱約可聞她不解的抗辯。

「生病的話吃草藥，餓的話就挖葛根來吃。」

「可是，萬一在山裏遇到老虎的話……」

「我絕對不會被吃的。」

「那是要一直待在山裏的意思嗎？」

「不是的，會走下山去找民家。」

直到此時，明伊才終於安下了心。

「是啊，長今，妳必須活下去，這樣父親和母親……才可以死得安心。妳父親他的確是軍官……而母親……娘是……宮中調理御膳的宮女。」

「宮中調理御膳的宮女是做什麼的呀？」

「是為王上準備御膳的宮女，娘原……原本想當……水刺間的最高尚宮，卻未能如願……背負冤罪而逃亡……只得以白丁的身分躲藏起來過活，然而，長今啊！有了妳，媽覺得好……幸福，小腿挨娘痛打也不會……大哭，妳真是我勇敢的女兒，這樣活下去就行，就這樣勇敢的活下去。」

「要勇敢的活下去。」長今重複母親的話說。

「我藏在大殿退膳間內的……料理手記浮現腦海了呢，娘原想成為水刺間最高尙宮的，水刺間最高尙宮……娘冤屈……」

眼神渙散的明伊幾近無意識反覆地說，長今則把切成小片的葛根放進明伊嘴裏，哀求的說：

「母親，別說了，吃一點吧！」

雖然含著女兒放進嘴裏的葛根，但明伊已經無法咀嚼了，長今看了趕緊拿出來自己嚼碎之後再餵她，明伊勉強睜開眼睛注視著長今。

「好……好吃。」

「好吃嗎？」受了鼓勵，長今隨即有了精神。「那我再嚼給妳吃。」

說著就急急忙忙的嚼起葛根，完全沒有注意到明伊的臀下已經積了一灘暗紅的血。

「母親，快吃吧，吃了才有力氣。」

長今聲聲懇求，但明伊的嘴唇已無力蠕動，眼睛也已閉上，接著呼吸聲靜止，可憐小長今還繼續嚼碎葛根放進母親的嘴裏。

「其實並不好吃吧？要是夏天的話，就會有很多的山草莓、山葡萄，母親，到夏天時我再摘山草莓和山葡萄回來，好不好，那要比葛根好吃多了，……」

再怎麼使勁用力，一次也搬不了太多，明伊的包袱布巾現在被長今用來做把石頭從洞窟外搬進來的工具，不過就算裝得多，自己也沒力氣搬，所以一次不能超過十塊。

長今原本是想要造一個經得起風吹雨打的墳墓，然而既無力把屍身往外搬，也沒能力挖地，能做的就只有讓母親就地躺下來，再搬石頭進來覆蓋堆積而已。

於是便成了一座長而低矮的墳，最後長今把剩下的葛根栽植上去。

「母親，我要走了。」

墳墓無言，只有長今不斷落下的淚水聲更添悽然。

「夏天到的時候，我會摘山草莓來，然後快快長大成人，回來爲您造新墳，現在請您安眠，母親。」

長今擦乾了眼淚轉身，山洞外已見微明的天光。

肚子餓了就挖葛根吃，腿走痠了就隨地坐下來伸展一下，再按摩腳底，雖是春天，但想在四月的山頂裏靠挖食是絕對不夠的，所幸山不險峻，迎著微風賣力走一整天，眼前就出現村落。

這裏看來雖然溫暖，卻沒有一處可以棲身，夜幕隨著春雨降落，雨勢且漸漸變大，長今蹲在一間草屋的屋簷下，雨滴雖不時濺漏，但累壞了的她依然打起盹來。

「乞丐！」

「小乞丐！」

聽到譏笑聲的同時，感到額頭一陣熱痛，因而驚醒過來睜開眼睛，發現雨已經停了，欺負她的男孩子嘻嘻哈哈地跑向被雨沖刷得明亮的大地，要是有力氣的話，要追上去並打倒兩個男孩是不算什麼的，但眼前填飽肚子要比報仇來得更加迫切。

錢她有，母親留下的遺物也不少，但尋找飯館的長今抿緊長了水泡的雙唇，下定決心無論發生什麼事，自己都要好好守住母親的遺物。

還沒找到飯館，卻先發現了日前曾經經過的小酒坊，雖然想起那吝嗇的女主人便滿心嫌惡，但回憶起曾與母親在這裏短暫停留，心中仍有股溫馨的熟悉感。

「有人在嗎？」

沒聽見回答，也許沒人在，倒是門縫開到可容一人進去的程度，長今本能的往裏頭張望，發現那裏曝曬著軟硬適中的糯米飯鍋巴，肚子實在太餓了，加上四下無人，她終於忍不住跑進去拿起一塊就吃了起來，冷不防酒缸後突然跳出個人來。

「噓！安靜！」

長今受到驚嚇，只能一面點頭來不及反應的繼續咀嚼著鍋巴。

「你是什麼人？」

「那大叔你又是什麼人呢？」

「這個你不用知道，吃完鍋巴後就趕快出去，不要妨礙我辦事兒。」

說著就從酒缸裏舀酒進手抱的小甕裏頭。

「大叔，你是小偷吧？」長今又忍不開口問。

「什麼小偷？胡說八道！」

「可是現在你不是在偷酒嗎？」長今指出。

「噓！叫你安靜別吵，這不是偷，是因爲這家的女人嘴巴太毒心太狠，若要完全不給錢，我才不得不出此下策。」

「大叔也被她欺負過啊？」

「也？那你也是囉？嘖嘖，可憐的東西。」

好像眞的很可憐她的樣子，男人一邊嘖嘖地咂舌，一邊打開筐籃蓋，裏頭放著一塊塊的圓形鍋巴，好吃到會讓人咕嚕吞口水。

「走開，嗯？你走開，我拿這個給你，讓你塡飽肚子。」

長今腦袋還來不及反應，手已伸出去接受，沒想到馬上被反咬一口。

「現在你也是小偷了，」男人嘻皮笑臉的說：「可見這裏是小偷的溫床，誰教這家的女主人小氣吝嗇又惡毒，就算是四肢健全的人也沒辦法不變成小偷啊。」

男子喃喃自言間，小酒甕已不知不覺的裝滿了，後頭一扇窗縫間鑽出一個男孩的頭來說：

「父親，快點啦！」

「知道啦。」

正要從窗縫把小酒甕遞給兒子的時候，院子那邊傳來了女主人的嘀咕聲。

「哎唷，這個死人又上哪兒去了，連個影子也沒有？反正啊，要是沒有我的話，我看連水都會漏掉！」

男人的眼睛透過一塊鍋巴與長今的視線對上，外頭的男孩接過了小酒甕拔腿就跑，男人緊跟著越窗而去，當發著呆的長今也想踩上酒缸爬窗時，門呼一聲被推開，女主人出現了。

「哎唷，酒缸蓋子怎麼打開了？這是怎麼回事？酒，我的酒！我的酒都到哪兒去了？」

大呼小叫之間，女主人看到了正努力要逃出窗外的長今扭動的屁股。

「小偷！捉小偷啊！捉偷酒的小偷！」

但長今已經靈敏地跳出窗外跑走了。

久久不見追上來的肥胖女店主，長今暫時把這件事拋在腦後，畢竟塡飽肚子更要緊，只恨剛剛顧著逃命，竟然忘了帶走那些鍋巴。

一看到小酒店，長今終於不顧一切的進去坐下。

「來一碗湯飯。」

「湯飯？先讓我看看你有沒有錢？」

長今慢慢地掏出五分錢來。

「咦，你這小孩子哪來的錢啊？」

「哪來的？我看是偷我的酒去賣的吧。」

想要甩掉的女店主帶著滿臉得意的笑容走進院子，說時遲那時快，她一手搶走那五分錢，另一手便抓緊了長今的後衣領。

「妳不是德九的妻子嗎？跟這小兄弟認識嗎？」那小二問道。

「喂，我要帶她走，你知道這一點就行啦。」

儘管她一再爭辯自己不是竊盜，那女人就是不聽，完全說不通，長今盡全力揮動手腳，女人便說她就那樣一路掙扎到官衙去好了，一聽說要去官衙，長今立時大驚失色，完全被嚇到了。

「你要不想去官衙的話，就叫你母親來，讓她賠你偷酒的錢。」

德九的妻子瞪著眼像是要狠狠地大罵一頓似的。

長今終於不再亂動任由他們捉住，偷酒的那對父子剛好一臉泰然自若地走進院子裏來。

德九的妻子趾高氣昂的炫耀：「偷酒的賊抓到了。」

「我沒有偷酒！我還看到了眞正的偷酒賊。」長今喊道。

男子一看長今舉起手指指向他，臉色馬上翻青倒了下去，德九的妻子慢慢走過來搖了一下他的身子。喊道：「哎唷，你這人怎麼會說忽然昏就昏呢？」

那是毫不擔心、全不在乎的口吻，甚至還把龐大的身軀往他身上一坐，嘖嘖出聲地連打他幾個巴掌，也不知道是眞的振作起來，還是熬不住疼痛，那個叫德九的很快又睜開了眼睛。

「怎麼了，這是怎麼回事？怎麼突然就全身無力，是氣血渙散嗎？」

「連王上的保養飲（補酒），說怎麼怎麼好的你都喝過，怎麼會氣血渙散呢？有沒有力氣，試試看就知道了？」

德九的妻子拍拍手抖抖身子站起來，站在一旁的兒子叫了她一聲。

「母親……」

「叫什麼叫，小兔崽子？」

「換成這小子倒下了。」

回頭一看，發現長今眞的暈厥在地，換兒子一道搖起她來。

第四章　罰

歲月流逝，同樣的季節又再度降臨，但長今仍無法去看母親，在山草莓成熟的季節裏，回想起安置母親的遠山模糊稜線，她總是反覆咀嚼著母親的遺言。

「娘想成爲水剌間的最高尚宮。」

儘管是在精神渙散的狀態下所發出無意義的喃喃自語，卻成爲幼小心靈上唯一的烙印。宮女，她嘴裏唸著，心中隨即浮現與最初被母親告知時一樣的焦急，甚至聽到了自己加速的心跳，可以的話，長今是多麼想要想進宮去完成母親的夢想啊！也想看一看藏在退膳間裏的料理筆記。但光用想的根本無法完成這個夢想，不僅聽也沒有聽說過要如何成爲宮女，即使知道，也打不開這一條路。

德九家除了釀酒也兼做王上的保養飲補酒，釀酒是德九妻子的份內事，而準備保養飲則是德九的工作，聽過德九說負責這項工作的人叫做待令熟手，或許可以經由德九，打開成爲宮女之路也說不定，可是德九的妻子卻絕不會輕易的放她走。

她說話刻薄、又喜歡挑釁，可以說性格惡劣到沒人受得了的地步，但德九的妻子還是收留了長今。其實呢，被誣賴偷酒的酒錢賠了，其餘的錢啊、銀簪等也全都被收走了，所以並非讓長今白吃，尤其是起先看衣著打扮，以爲是男孩，發現是女孩兒之後，就把所有瑣碎費事的工作都交給了她。

長今手巧，如今雖然才十歲，但打掃、跑腿和做飯，只要交待她的事都能做好，可是每當這個時候，德九的妻子就會說長今想換工作的話還差得遠，更別想逃跑，就這樣綁住了長今。

個性溫馴又喜歡喝酒的德九，是個被老婆收服得服服貼貼的男人，自己要做的事不多，主要的工作都由妻子和長今分擔去了，他只是搬送釀好的酒而已，出去的話，光一件事就可以磨蹭一整天，然後醉醺醺，笑咪咪的晃回來，被妻子責罵也總不敢回嘴。體型還不到妻子一半大的他，就算吵開了，也不是她的對手。

碰到這種時候，長今跟同年的一道總想辦法避開，身子單薄又乖巧的一道做事總是丟三落四的，長今雖然一有空就教他識字，但是他總是學了後面就忘了前面。

平常長今在做完德九妻子交待的工作之後，也還是得不到半點兒休息。固定的工作都做完了的話，就會被叫去跟德九一起去送酒，久而久之，除了最後的進出買家之外，長今已經能夠獨自熟練的處理許多事。

這一天德九照例和長今在板車上載滿了酒缸出發到妓房去，在倉庫前把酒卸下以後，德九也照例老調重彈，藉要去辦王上的保養飲的事開溜。

「長今啊，因爲要準備王上的保養飲，我有些急事要辦，妳就在那兒留心看著，知道嗎？」

他說的地點是金千橋西邊的金千橋市場入口，每次都跟長今約好在市場入口處見面，然後經過崇禮門，走回酒坊。

「今天不要太晚喲！」長今說。

「那得要花點時間，王上的補酒哪有那麼簡單的！反正我去去就來。」

德九輕輕鬆鬆走了之後，妓房的小廝便嘀咕著靠近過來，「他又喝酒去了啦，什麼王上的補酒……」

長今只是嘻嘻地笑。

小廝近乎自言自語的往下說：「今天高官大人們來得多，希望不要引起什麼騷動才好。」

「是啊。」長今漫應道。

「妳這孩子可能是外表伶俐而已，哪裏眞的懂什麼叫做引起騷動……」小廝一面說，一面望向妓房別室那邊。

崔判述守在別室門前，裏面有五個兩班在談論隱密的話題，朴元宗、成希顏、吳兼護、朴榮問、申潤武等一干人，個個臉色凝重。

「吏曹判書柳順汀、水原副使張正、司僕寺❶僉正（從四品官）洪景舟都同意舉事。」

朴元宗仔細聆聽成希顏的報告。

「至於奸臣申榮根、申守永兄弟和任士洪，以及奉承得勢的人等，也已經都擬好了誅殺的計畫。」

「重要的是進入王宮之後，情況如何？」

「雖然掌握了訓練都監和右林衛，但兼司僕❷和內禁衛還不確定。」

「那樣的話，不會引起劇烈的衝突嗎？」

「雖是次佳之策，但我們有內應在裏面。」

朴元宗用下巴跟吳兼護示意，大家的視線隨即都轉到他身上。

「現在在外面守望的崔判述，這期間給我們募來了金錢和武士，他是水刺間最高尚宮的親侄兒，於是透過姑母在內禁衛及兼司僕的飲食和飲水中一點一滴的滲毒，到時他們就不可能發揮應有的力量啦。」

成希顏拍膝讚嘆：「眞是個妙計！那現在便只剩下把舉事計畫告訴晉城大君

了。」

晉城大君是成宗大王的次子，也就是燕山君同父異母的弟弟。

「在奸臣任士洪美其名爲保護的軟禁下，晉城大君居所的周邊總有炮兵層層包圍。」

「所以誰能進去面告大君這件事呢？」

「方法我倒是有一個，只不過……」吳兼護雖然很快接嘴，但話卻只說了一半。

「唉呀，眞是教人著急，既然有方法，你就趕快說出來啊！」

圍坐的人都把視線焦點集中在吳兼護的臉上，可是他卻像悶嘴葫蘆般，半天不說話。

被崔判述叫去的小廝僵著一張臉回頭來問長今：「晉城大君府上也要送酒去吧？」

❶管理宮中車、馬的官衙。

❷由騎兵組成的禁軍。

長今點點頭。

「給妳跑腿錢，妳把這些酒也送過去吧。」

「今天本來就是要送酒到大君宅去的日子，不用給跑腿錢。」長今說。

「好吧，這酒可是朴元宗大監送給晉城大君的生日禮物。」

「是。」

「因爲貴重，所以妳一定得親手交到大君的手上，還有每瓶上頭都寫有特別的名字，務必稟告大君說一定要按照順序喝，才能品嘗出其中的美味。」

長今算了一下，發現貼上不同顏色標籤的酒一共有四瓶。

「可以光憑顏色記住吧？」

「今顯酒……天天酒……」

「什麼光憑顏色？」

長今索性把字唸出來。

「行了，別再說了，也許會有人問起，妳就回答說全是平常送的酒，知道嗎？」

「知道了。」

「要不照我說的做，就把妳送進妓房去當妓女喔。」

恐嚇的話讓長今一愣，不覺倒退了兩步，腰桿撞到了載酒的拖車，卻連疼痛也不敢表露，立刻拉著走。吳兼護挺立在妓房簷下注視，站在他旁邊的崔判述則露出異樣的眼光，立刻打手勢叫一名男子過來，赫然是當年刺殺明伊失敗的刺客之首。

「跟著那個小孩，絕對不能出任何差錯。」

往長今瞄了一眼，那首犯眼神頓感疑惑搖了搖頭，分明是張有點熟悉的面孔，一時之間卻又想不起來，在何處見過，只得先收起疑惑，跟在長今後面。

晉城大君宅邸前有兩個炮卒守住了大門，長今一停下車，其中一名炮卒就上前來盤問：「做什麼的？」

「我是送酒來給大君大人的。」

「酒？」

充滿疑竇的眼光往拖車上掃了一下，另一個炮卒則用沒什麼大不了的口吻幫忙長今說：「她是經常送酒來的小孩，就讓她進去吧。」

「這麼個小傢伙，怎麼會一個人送酒來呢？」

「她父親是個大方的好人，」那個炮卒跟同伴解釋過後，又對長今說：「喔，今天又是妳一個人來啊，趕快進去吧。」

長今低頭彎腰拉動拖車，首犯則躲在一旁密切監視，準備情況一旦不妙，就要放箭堵住長今的嘴。

晉城大君的房裏來了貞賢王后侍前的至密尙宮，在尹氏娘娘被廢的第二年十一月，貞賢王后被冊封爲王妃，並與王上生下晉城大君，如今住在與剛死了親外婆的燕山君咫尺之處，日常生活幾乎已達如履薄冰的地步，尤其當今王上可是曾以爲貞賢王后是生母，也就是說是看在被扶養長大的情份上，才放她一條生路的。

「太后娘娘要我傳話，請大君大人要小心。」

不管是說話的至密尙宮，或聽話的晉城大君，兩人的臉都僵硬如石，緊壓在沉重的靜默當中，此時門外下人通報喊道：「大君大人，朴元宗大監祝賀您生辰呈上的酒送到了。」

「朴元宗大監的酒?」

晉城大君一邊歪著頭思索，一邊下令把酒送進來。

下人送進來的每瓶酒都貼著不同顏色的標籤，分別寫著「天天酒」、「既當酒」、「死爲酒」、「今顯酒」。

「大人，上面寫了什麼?讓您看得那麼專注?」

至密尙宮在旁邊問，但大君的眼神一逕專注於貼條上，卻是再怎麼思考，也不得要領。

「送這些酒來的人還在嗎？」

「我要她在外頭等候，可她還是個孩子。」

「孩子……讓她進來。」

下人出去後，長今進來了，卻沒看晉城大君，只留心至密尙宮，接著更突然向她趴下來行禮。

「在大君大人面前，妳這是在做什麼啊？」

不管行不行，長今還是先把自己要說的話一吐為快：「我想當宮女，請帶我進宮。」

「從沒看過這種輕率的荒謬行為，還不趕快給大君大人行禮？」

至密尙宮慌張至極，一張臉幾乎都皺成了一團。

長今這才焦急轉身，改向大君行大禮。

「再怎麼沒讀過書的卑賤下人，犯下這種無禮之舉，仍教奴婢萬分惶恐，大人！」

「無妨。」晉城大君應道，再轉問長今：「妳眞的想要成爲宮女嗎？」

晉城大君望向她的眼光是溫暖的。

「這些酒是妳送來的嗎？」

「是的，大人。」

「聽說是朴元宗大監送的。」

「是的。」

「有交待的話嗎？」

「說是生辰的賀禮，每瓶酒上都貼有賀詞，還吩咐說一定要按照順序飲用。」

「喔，是嗎？」

晉城大君的眼睛爲之一亮，立刻又去摸標籤。

「我來定個順序，妳看對不對。」

但他才拿起天天酒，長今立刻出聲：「不對，第一是『今顯酒』，其次是『天天酒』，再來是『既當酒』，最後則爲『死爲酒』。」

「哦，妳識字？」

「只懂得一點點……」

「呵呵，還眞是個奇特的孩子。」晉城大君邊說眼睛邊按照長今所說的順序搜尋酒瓶，沉吟一陣子之後，臉色突變。

「怎麼了大人？臉色怎麼會突然變得這麼灰暗。」至密尙宮關切的問。

「不，沒什麼事，妳別擔心。」

但即便是年幼的長今也看得出來大君臉色明顯地變了。

「蒼天既死，黃天當爲；藍天已死，該是黃巾賊的天下了。」

這是中國黃巾賊之亂時張角所寫的檄文。現在只不過是把前面的字換掉，分明是藉古喻今，總合起來便是「今天既死，顯天當爲」。「今天」指的是現在的上天，也就是當今王上，顯天則是之後出現的天，即晉城大君本身，更何況「顯」字又正好是晉城大君的名字。

朴元宗大監是要遣我密謀犯上，這該怎麼辦呢？我既不期盼在事成之後成爲王上，更不願在失敗之後被處死……

晉城大君一邊試著隱藏了內心的紛亂，一邊注視著長今。

「妳叫什麼名字啊？」

「我叫長今。」

「我有一點好奇，回去之後，妳打算怎麼向叫妳送酒來的人稟告呢？」

長今沒有立即回答，反把想說的話吞了回去。

「沒關係的，妳說說看。」大君鼓勵道。

「我會說酒是很高興地接受了，卻顯露出相當擔心的表情。」

「看起來是這樣的嗎？」

長今點點頭，大君不禁露出苦笑。

「好吧，妳就這麼回話吧。」

大君的聲音跟他的笑容一樣都是苦澀的。

「眞是個聰明伶俐的孩子，不是嗎？」長今出去之後，大君看著關上的門，近乎自言自語的說。

「在我看來倒是和一般孩子沒什麼兩樣，都是忙亂中易生差錯。」至密尚宮安慰地說。

「做得到的話，就幫幫那孩子實現心願吧。」大君丟下一句像是隨意說的話後，就專注回望起那些酒瓶，至密尚宮於是也就沒有再答話。

一看至密尚宮走出舍廊抄近路穿過院子，長今立刻跑過來跟在她後面。

「請讓我當宮女吧！」

「沒見過妳這麼無禮的人！」

「我一定要成爲宮女。」

「哎，在挨揍之前妳趕快走吧。」

「尙宮嬤嬤……」

「之前的事就算了，妳還眞不死心啊，再不立刻退下的話，我就把妳送去衙門。」

一聽到衙門，長今馬上停隨即止步，至密尙宮回望了晉城大君的舍廊房一眼，本來面對長今的可怕眼神也消失了，臉上盡是愁容。

想不到舉事比預定更加迫切，當晚任士洪私邸就出事，卻是連晉城大君當時都沒想到的。

「當時任士洪突然緊握住劍。」德九繪聲繪影的描述。

「然後呢，父親？」

「你父親何等人物？年輕時可以赤手與大熊搏鬥，挖出熊膽的人，不是嗎？只要避開劍就行啦！」

「所以您避開任士洪的劍了？」

「你這小兔崽子，當然是避開了，我現在還好好活著不是？」

「那麼，是父親殺掉奸臣任士洪的囉？」

「那個嘛……說起來也算是吧，」在兒子面前，德九不得不盡力撐起他做父親的場面。「今上殿下能夠登上寶座，你父親的功勞大著呢，我看追封爲一等功臣應該也不是什麼問題吧?啊，這麼一來……」

德九夢話還沒說完，大門就打開了，不情不願的抬眼一看，發現進來的是一名中年婦人。

「這兒是熟手姜德九的家嗎?」

「是啊，可是……」

「叫長今的孩子住在這裏嗎?」又是還沒講完就被打斷。

「在那邊的那個孩子就是長今。」

德九指著在醬缸台那邊舀辣椒醬的長今說，正好此時長今也發現來了個不尋常的客人，打量著長今的訓育尙宮，眼睛犀利的瞇細。

「妳想成爲宮女是吧?」

長今聞言一震，手中的辣椒醬小碗差點就落了地。

「是啊!」

「收拾好行李跟我走!」

「啊!」事情雖來得突然，長今仍趕緊應道:「是，嬤嬤!」

長今動作慌亂，完全失去平常善於察言觀色的鎮定，從走道地板一邊跑進房裏，過了一會兒，德九父子也跟了進來，德九甚至已經淚眼汪汪。

「長今啊，妳一定要走嗎？」

「是的，我一定要當宮女。」

「呃，爲什麼呢？」從來也沒聽她說過這回事啊！

但這問題連長今自己也答不上來，只知道打從聽母親說她原來是水刺間宮女那一刻起，連那是什麼都完全不懂的時候起，就總是滿心悸動，好像從此明伊來不及實現的夢想，就一直深植於長今的內心裏似的。

「都說那裏是個很可怕的地方，長今，還是別去吧，嗯？」

一道才嗚咽的說完，站在外面的訓育尙宮大聲斥責道：「喂，你這小傢伙在胡說八道些什麼，時間不早了，快點。」

大吃一驚的一道隨即湊近長今耳旁，盡量壓低聲音悄聲道：「看吧，多可怕，是不是？」

長今看了他一眼，只是笑笑。

訓育尙宮走在前面，拎著包袱的長今神采奕奕的跟在後面，德九和一道一路跟到了大門外，淚眼相送。

此時斜彎道路的另一邊出現了那刺客之首，原本盯著長今的他一瞥見走在前頭的訓育尙宮，隨即面露焦急的目送她們離去，之後轉往酒坊走，正好遇上了晚歸的德九妻子。

「這位大嫂子，可否容我問一件事？」

「問吧。」雖沒什麼好氣，德九的妻子還是應道。

「那孩子妳是什麼時候開始收養起的啊？」

德九的妻子瞪著那首犯看，一副問這個幹嘛的模樣。

「是不是從兩年前開始？」

「你想知道？」

「這個嘛，妳願意講的話……」首犯不想表現得太積極。

「那就拿錢出來。」但德九的妻子仍看穿他的要索。

「……」首犯一時為之語塞。

「你那麼想知道的話，就拿一百兩來吧！」

狠狠地說出這句話後，德九的妻子便轉進院子，丟下一臉無奈、呆望著她背影的首犯，等回過神後，他才又拉住返家門的德九，問了相同的問題。

「你是說剛剛那位跟尙宮走的孩子啊？」德九反問。

首犯有些發急的追問：「對，她是兩年前左右跟腰部受傷的女人一起來的不是嗎？」

「不，是跟腿肚受傷的男子一塊兒來的！」

德九只差沒咬到舌頭，口吐謊言，只是為了明哲保身。說完走進院子，忽然被飛來的水桶嚇了一大跳。

「你這不管家裏頭外頭的，去打些泉水回來！」

「要泉水做什麼呀？」

「要做什麼是吧？之前我不是就說過只是養了頭隨時會跑掉的兩腳獸嗎？偏你要收留，現在沒泉水，蒸酒麴的事咱們叫誰來做？又有誰能來幫我熱敷腰呢？」

「我什麼時候說過要養她的啊？還不都是你……」

「你這個冤家對頭！趕快去舀山泉水回來。」

發現妻子又因為出氣筒長今不在，狠狠的環視院子，德九緊趕抓起水桶跑出去，一道也跟著跑，只剩下那首犯站在那兒像追雞不成的狗一樣望著屋頂，嘖嘖咂舌。

估計足足有三十名孩子在宮廳大房中排隊坐著，跟長今同年紀的有十個，差兩、三歲的有十個，長四、五歲的也差不多有十個，在訓育尚宮後面則有訓育宮人和醫女靜靜的等候。

「現在開始要點檢金絲是否未斷，開始！」

訓育尙宮一下令，醫女就走到前面來。

「金絲未斷」金絲就是處女膜，未斷就是尙未斷裂的意思，也就是仍是完璧之身。宮女既是王上的女人，當然得保持處女之身，如果檢查未過，便不能入宮。所謂的檢查，是在手腕滴上鸚鵡的血，要是血不凝結而滴下的話，就表示已非處子，想要成爲宮女，依慣例必須通過這一關，絕無例外。

醫女在位置上坐定，前方有鸚鵡鳥籠和布，還有放針的小盤，訓育宮女隨即帶領第一個孩子到醫女面前來，這項檢驗均是針對十歲以上的孩子施行的。

醫女問道：「妳叫什麼名字？」

「韓家冠德。」

「把袖子捲起來。」

冠德微皺眉頭的捲起袖管，訓育宮女抓住了她的手臂，在坦露的腕上滴下一滴血，人人噤若寒蟬，血滴好像隨時都會流下去似的，好不容易在當事者膽顫心驚下凝結了，冠德一語不發，注視著這光景的修練生則個個因緊張而臉色蒼白。

「行了，下一個！」

訓育尙宮利用這樣子一個個上前去接受試查的期間，開始告訴修練生們金絲未斷的由來。

「傳說守護中國泰山的一個仙女，忘了戒律愛上將軍，於是受處罰投胎成爲只會學人說話的凡人，有一天她在無意中發現有一名部下想害她心儀的將軍，便想先下手爲強引誘他，豈料正好被將軍發現，部下又誣指說是仙女要對自己不正經，偏偏她只會學對方說話，於是憤怒的將軍就把仙女給殺了。」

故事說到此緊要關頭，正好輪到長今受檢，雖然心中緊張，步伐卻不露一絲慌亂，而且毫不猶豫的捲起袖子，伸出了手臂。

「仙女死後化爲鸚鵡，因爲這樣，中國皇室自古以來就用鸚鵡的血來判別金絲未斷與否。」

說完話的訓育尚宮注視著長今的手臂，好像已經凝結的血滴忽起了細微的顫抖，最後竟滴落地面，讓原本安靜的房中，此刻更是一片是鴉雀無聲的死寂。

「奴婢惶恐，是鸚鵡忽然動了一下，我才會碰到了這孩子的手臂。」

醫女承認自己失手，建議再試一次。

「好，那就再做一次。」訓育尚宮面無表情的說。

這種例子不常見，幸虧第二次血滴未動，順利凝結了。

長今放心的鬆了口氣，訓育尚宮站到房中央對著修練生大聲說：「現在要進宮裏去，大家聽好，妳們進宮去，並非人人都可當生角侍，每日晨起學習，熟習之後，我們也只挑選出色的配置到各處所去，十五天之後才判定結果，這段期間妳們與宮女共用一間房，接受教導，好，準備進宮。」

由於安心和期待，在生氣盎然的修練生當中，長今明亮的黑眼珠如山葡萄一樣發出沉靜的光芒。

敦化門隅進閣屋簷下有御駕的行列經過，拿著太陽傘和扇子的隊伍雄壯華麗，護衛部隊——玄武隊和文武百官跟在後頭，坐在輦（王上乘車之一）上的王上，因為距離遠的關係，並看不清楚他的面貌，更遑論表情。

長今望著御駕行列，興奮得合不攏嘴，完全不知道坐在輦上的國王就是她曾見過的晉城大君。

等候御駕隊伍都通過了，訓育尚宮才率領生角侍修練生到有寢室和修房的安東別宮一邊的訓育場。

每人領了一套做工精緻的生角侍制服，淺綠的背心和桃紅色的裙子十分相配，聽說冬天還會發一套紫色背心搭配藍裙子的制服。

生角侍前後左右對齊，井然有序的坐定，直起一邊膝蓋，然後把兩手輕放在上頭，保持這種坐姿等候提調尙宮進來。

「起身！」

訓育尙宮確定提調尙宮來了即大聲下令，然而還不完全明白的修練生仍拖拖拉拉，待命的宮女趕緊比手勢叫她們站起來，彎腰半站起，然後再坐下之後，原本端整的坐位便顯得有些零亂。

提調尙宮渾身上下散發出宮女首位的權威，在這個世界裏，其權勢足以跟領議政（內閣最高官）相比，得具備長久的年資及位品、人格再加上足以統率這麼多宮女的學識才行。管理的人數儘管有限，僅以足夠料理王上的飲食而定，可她在負有專職的宮女當中，絕對是身居最高位，而且僅此一名，主管內殿的大小治產。

「這裏是王宮，進宮的女人無一不是王上的女人，在行動上不容許有一絲的差錯，希望各位在學習熟練之後，成爲出色的宮女。」

提調尙宮的講話言簡意賅，而且說完就離開，接著就開始正式的教育，只見壁上掛了一幅看來沉重的掛圖，第一張的標題是「宮中女官」。

「這個怎麼讀啊？」

無人回答，然後長今才用自信的口吻說：「宮、中、女、官。」

「什麼意思知道嗎？」

「是指宮中有官職或職份的女人。」

「對了，也就是宮女。雖然生爲女人，但擁有自己的職份和官職的女人，就是我們這些宮女，既然有工作，就必須要有素養，接受官階也必須要有品位，對上位者以禮待之，對下位者則以國法制度對待。」

訓育尚宮充滿自負的說明尚宮的本分，可是她採取的卻是極力自持的聲音，並且注意到長今能夠一一讀出其他修練生都覺得困難的漢字。

「妳們年紀雖小，以後卻都可能升到正五品的尚宮位置，全都是中人以上的子弟，是入宮進闕來負責雜役的宮中女侍，跟婢子等賤人的身分是很不同的，跟從官婢中選出的醫女也有嚴格區分，所以在面對她們時，千萬別忘了要展現出威嚴！」

教育就這樣無止境地接續進行，年幼的修練生中已經出現了一些疲憊無神的眼光，因此長今黑檀一般的眼珠便顯得更加突出。

疲累的一天過去，進宮的第一個夜晚到來，九重深處之夜，在無限廣闊的宮裏，雖不知王上的所在，但是一想到自己等於是跟國君住在同一個家裏，長今內心便滿足得不得了。

尤其這裏是母親曾待過的地方，母親也曾經過這段森嚴的訓練，然後才成爲宮女，想到這兒，她決心不管遇到多少困難，都要堅強克服，予以完成。

心中產生了新的力量，就連黃銅尿缸也好像變輕起來，不料才推開住所的門，裏面的其他修練生便一窩蜂的湧現，硬把長今擠出去。

「這什麼地方妳也敢進來？」

名叫令路的修練生，一臉自以爲是，也不知道是在鬧什麼彆扭，怒視的眼神充滿了妖氣。

「我做錯了什麼，妳如此相待？」

「哼！來歷不明的賤東西！」

「什麼叫做來歷不明？」

「妳是個被釀酒坊撿回去收養的小童工，對不對？我叔父說的，他可是位大殿別監，也就是管理妓房事務的尹莫介先生，妳也認識吧？」

莫介的話，不就是差她送酒去給晉城大君的妓房雜工嗎？

「雖然我不知道妳這賤東西是怎麼進宮來的，可是我絕對無法跟個像妳這麼不懂禮教的賤人睡同一間房。」令路完全不知長今清楚莫介的職銜，仍繼續謾罵羞辱，之後甚至一把將門鎖上，什麼也不聽。

「開門啊，別這樣，妳讓我進去啊。」

長今哀聲拜託，但門裏始終惡語相向。

「像妳這樣的賤東西，夜裏就在外面替我們看門吧！」

「我不是賤東西。」長今辯稱。

「是嗎？那妳父母是誰啊？」

「我父親是……」

就在這緊要關頭，長今閉上了嘴，「軍官」二字哽在喉頭，但就因爲自己這一句話而讓爸爸被捕拉走的分別畫面又出現在眼前，令她眼眶發熱，還有母親在當宮女期間，爲何會抑鬱蒙冤的被逐出宮去，至今仍也無法知悉緣由。之前說錯話已經害死了父親，如今再要出賣母親的話，長今知道自己絕對無法苟活下去，所以父親曾是軍官，母親曾爲水刺間宮女的過往，以及他們的姓名，自己至死都不能說出口，這是個多麼悲哀的禁戒啊！

「我不是賤生！」最後長今也只能這樣說。

房裏傳出咯咯的笑聲，簡直是世上少見的欺壓傾軋。

「妳們不也聽到今天尚宮嬤嬤說的了嗎？宮女是從中人以上的子弟中選拔出來的呀，怎麼其中會有這樣的賤東西混進宮來呢？」

嘲笑的聲音再度從門縫中傾洩出來。

長今用手背抹去眼淚，離開了門前，知道就算再待下去，門也不會打開，不如趁此機會去找找母親藏在退膳間的料理手記好了。

月已西沉的宮中一片漆黑，一路摸索著無法辨認的路，突然聽到對面殿閣底下傳來清楚的聲音說：「小龜啊，別再讓我難過了，嗯？」

仔細一看是連生，她的眼神溫馴，唇邊卻有些陰霾，是初見面時長今就注意到的同輩，而連生一看到長今也立刻貼近過來跟著走。

「上哪兒去？」

「退膳間。」

「退膳間，在哪裏啊？」

「聽說是在王上住的大殿旁。」

「大殿？不行啦，不是說離開這裏就不行嗎？」

「那妳爲什麼會在外頭？」

「我是因爲令路說只要看到烏龜的話，就要抓起來丟掉，所以才不想進入處所，而且我一個人也無法進去，得跟妳一塊兒行動才行，被發現的話，尙宮嬤嬤會當場處決我們的呀。」

長今不管連生幾近語無倫次的自說自話，只管默默地往前走，而連生雖不斷用微弱的聲音和夾雜不清的理由勸長今，自己卻又一路跟著。

長今經過仁政門後再過了仁政殿，已經來到王上的便殿——宣政殿附近了，但她仍不自知地繼續無懼的走動。所謂便殿是王上平時跟臣下談論國政的地方，左右共有三間雅緻的建築，宣政殿屋頂有上釉的青瓦，殿閣全都籠罩在黑暗之中。

由宣傳官和尚宮、內侍、宮人們守著的宣政殿石階上並排著兩雙鞋，一雙是御靴，另一雙則是士大夫的鞋。

一發現便殿前有看守著的宮女，長今就趴下去開始爬行，坐立不安且已面露哭相的連生只好也揚棄禮儀的跟在長今後面爬。

兩人就這樣用手肘爬到宣政殿對面的殿閣前，竟碰上了想都沒想到的生角侍，但見她雙掌在胸前合十，面向便殿，雙眸殷切。

長今和連生瞬間停止了動作，連大氣都不敢喘一下，那位生角侍雖朝著便殿行大禮，臀部卻碰到了連生的臉。

「哎呀！」連生不禁叫出聲來。

一人出聲，連帶嚇到其他兩人，三人於是爭先恐後，連跑帶爬地鑽進殿閣底下躲起來，連生還掉了一隻鞋，但已無暇去收拾，便殿前立刻晃動起燈火，內侍的聲音劃破了黑暗。

「誰在那兒？」

三人啞然又緊張的緊盯住前方，內侍們提著燈火靠近過來，現在長今她們的呼吸聲已經緊縮又急促。

內侍們步步逼近到殿閣下方，快要屏不住氣的連生嘴裏發出如水瓢滲水的斷吟，長今和那個生角侍馬上同時摀住她的嘴。

兩人因而對看一眼，看起來她大約比長今大個兩、三歲。

這時男內侍已來到殿閣，雪上加霜的是其中一個眼睜睜就要踩到連生脫落的那隻鞋了，嚇得連生幾乎要暈厥過去，但越是這樣，長今和生角侍卻越用力摀住連生的嘴巴。

「嗚……」此時殿閣底下正好跳出一隻貓長叫一聲，並躍向空中，拉出一條弧線。

「原來是這畜牲！」

一名內侍的嘀咕聲化解了危機，幸好他們沒踩到那隻鞋就轉走了。

就像約好似的，長今她們倆又同時放開摀住連生的手，連生因爲被摀得難受，索性用力裝咳到快要斷氣的模樣。

「這個時辰，妳待在便殿前面做什麼呢？」

長今一問，生角侍並沒有立刻回答，反而先長長吐了口氣後才說：「託妳的福，全搞砸了。」

「搞砸了什麼？」

「最後的行禮。」

「什麼最後的行禮？」

「那邊，妳看到宣政殿石階上放著的鞋子沒？不是王上的御靴，是旁邊那雙，」她說：「是年方十六便通過司馬試的人，今天高中了狀元，所以王上親自召見，賜予茶果。」

「司馬試狀元？意思是科舉及第囉？」連生插進來問道。

「不是，那是成爲生員或進士前進出文科的過程試啊。」

「那妳爲何要對他做最後的行禮呢？」

「因爲他是我從前在家時就喜歡的大哥，家裏長輩硬要我進宮嘛，妳們不也聽說了？宮女全都算是王上的女人不是，所以我正要行最後一次禮，向他告別，卻被妳們給破壞了。」

連生撇撇嘴說：「瘋啦？」

但長今卻深受感動。「那妳重新再行一次禮，我們幫妳守望。」

「妳們願意幫忙我嗎？」

幾乎是同時喊出的回問，兩人也抬頭看著彼此，長今跟生角侍點了點頭。

「瘋了，兩個都瘋了。」只有連生滿臉擔心嘮嘮叨叨地說。

向著宣政殿，雙手合十的生角侍表情眞摯，隨即是淒然，連生盡力克制想要嘮叨的舌頭，長今則對生角侍的心意，那份爲了對欽慕的人作最後的告別，不顧危險的行禮生起敬意，認爲那既純良又美麗。

「眞是感謝。」行完禮的生角侍以溫暖的眼神注視著長今和連生說：「今夜的事請保守祕密，好嗎？」

「當然。」

生角侍用淺淺的苦笑代替道別，便轉身便快速走遠。

「該問一下名字的……」長今低語，但生角侍敏捷的身影已淹沒在黑暗中。

那夜之後，令路仍每晚把長今趕出去鎖上門，訴苦的話怕會引起更多的流言與是非，所以長今一開頭就放棄了，索性做自己想要做的事，也就是繼續在宮裏四處找尋退膳間，而每次連生也都一面不停的囉嗦，一面又緊跟在長今後頭。

有一天長今問她理由，這一晚她又被令路推出來，又是在走向仁政殿的時候。

「妳爲什麼一面哆哆嗦嗦發著抖，一面還要每晚跟著我呢？」

「這……這是因爲我不能放妳一個人到危險的地方去嘛，所以……」

「實際上妳是害怕令路會……」

「不是啦！令路並不可怕，」連生辯解道：「我是怕她把我的小龜踩死啊。」

「是，那也是。」

這麼取笑連生時，竟沒看到前面的牆壁，因而差點撞上，本能地往上一看，赫然正是「退膳間」三個鮮明的大字，長今沒多做思考就推開了門。

裏面一片漆黑，連生跟著進來嘀咕道：「看都看不見，妳要找什麼？」

「等一會兒，馬上就可以看見的。」

「可是眞的什麼都看不到啊！」

「是，所以我才叫妳等等嘛！」長今耐心的哄勸。

張開手臂向前摸索，碰觸到擱在灶上的餐盤桌腳，長今一驚，不禁倒退了兩步，後腦正好與亂揮著手臂摸索前來的連生額頭撞個正著，心中才懊惱著想剛剛何必避開門縫的餘光，反害得兩人相撞，長今和連生身子已經纏在一起摔倒，連帶打翻了餐盤桌。

「妳們在做什麼？」

說話的是韓尚宮，燈火下只見退膳間的地面上盡是倒翻的膳桌[3]、雜亂的碗盤和四散的食物，幾乎沒有個踩腳的地方，趴在地上的長今和連生也狼狽得跟食物沒什麼兩樣。

「嬷嬷，王上的宵夜……」跟在韓尙宮身邊的宮女率先出聲。

「這下怎麼辦才好？要是被最高尙宮嬷嬷知道的話……」

「那個不是問題，內侍部的人馬上會過來傳喚，接著尙膳令監和提調尙宮嬷……嬷嬷，這下我們豈不是死定了？」

「提調尙宮嬷嬷絕不會善罷甘休。」

宮女你一言我一語，說的都是性命難保之類的話，長今和連生就像被捉來的禽獸一般，在一旁一味地發抖。

「尤其今天的宵夜又是稀罕的駝酪粥……」

「住口，妳們就不能安靜點啊！」韓尙宮終於出了聲。

喝阻了宮女之後，她低頭看著打破的粥碗，所謂的駝酪粥是把米磨碎，加入牛乳去滾煮的補陽粥，從十月初一起到正月爲止，慣例依內醫院的指示做駝酪粥給王上進補。朝鮮時代的駝酪色即牛乳色，另有專門的機構處理牛乳。

3 即有腳的餐盤桌。

經過一番思考後的韓尚宮像是忽然想出了解決辦法開始展開行動。

「去水刺間看看還有沒有開著，不管什麼材料，有的話就都拿來。」

「可是嬤嬤，這時候水刺間不可能還開著啦，而且退膳間也不是做料理的地方，不是嗎？」

「現在不是管這些的時候，去把找得到的任何材料都拿來！」

「是，嬤嬤！」

宮女們一出了退膳間，韓尚宮才回視兩個犯錯的人，可是她也只是用可怕的眼光怒視一下而已，隨即打開櫥櫃翻找，然而果如那位宮女所言，退膳間原非調製料理的地方，裏頭就只放些鹽和胡椒等的調味料而已。

這時候去找材料的閔宮女回來了。

「找到什麼？」

「水刺間關著，有的只是從生角侍工作場裏翻找出來的這些東西而已。」

「生薑和蓮根……」韓宮女叨唸著。

「好像是有人把皮削了一半就走掉的樣子。」

「好，就用這個。」

「用這個怎麼能做王上的宵夜？就在隔壁而已，卻連被人潛入了都不知道，現在我們大家都只有等死了。」閔宮女兀自喋喋不休的說。

「去削皮！」韓宮女乾脆下令。

「啊？」

「叫妳趕快削，還在那邊囉嗦什麼？」

「是。」

閔宮女不得已的拿起湯匙坐下來，因為生薑和蓮根的數量相當多，所以她也塞了湯匙給長今和連生，這下子做事的速度便快了起來，韓尚宮則把削好皮的生薑和蓮根一個個拿到鋼板上去磨。

磨好的蓮根加水去煮，在鐵鍋裏不停沸滾，然後蓋上鍋蓋，將水蒸乾，剩下的便是淨白的蓮根芡粉，再用同樣的方式蒸出生薑粉，最後加進蜂蜜調和，精巧的製作手藝令人觀之咋舌。

把準備好的食物盛入小盤，蓋上桌布，此時韓尚宮才舒緩了一口氣，端起來走向大殿，正要呈上之時，卻被看到她的至密尚宮和提調尚宮瞪視喝問：「每晚都要做的事，怎麼遲到了？」

「奴婢惶恐！」

提調尚宮露出不滿意的神色，悄悄掀開桌布。

「內醫院不是叫妳今晚宵夜上駝酪粥嗎？」

「是這麼吩咐的，可是水刺間裏弄錯了宵夜，才延遲了時間……」

「到底是發生了什麼事情，竟然耽擱到王上宵夜的時間？」提調尚宮憤怒的雙眸彷彿要噴出火來似的。

「端了什麼來這麼吵雜？」

忽然傳來王上的聲音，所有的尚宮都大吃一驚，慌張的說：「稟告王上，奴婢惶恐……」

「好了，呈上吧。」提調尚宮再次怒視韓尚宮，不讓她往下說，冷熱交織的眼神眞能盯得人背脊直打寒顫。

「好吧，端了什麼來啊？」

中宗闔上書推到一邊去問道，一旁立刻呈上小盤，木器中盛放著鴨子形狀的食物，另用大棗和花瓣裝飾。

「是蓮根粉圓和薑粉茶食。」

「薑粉茶食？是生薑粉末做的嗎？」中宗又問。

「是的。」

王上的表情馬上緩和下來，直言說：「我不喜歡生薑，就連喉嚨腫時也忌諱它，想不到妳竟能用生薑做出鴨子模樣的點心來。」

王上這番話分明是說出了和溫和神色相反的心意，提調尙宮漸漸變色，韓尙宮的臉更似血色全失的慘白。

中宗只乾望了三、四次，並不輕易去觸碰食物，然後因悄悄瞟了一臉灰敗的韓尙宮一眼，才勉強拿起一塊放進嘴裏，咀嚼了一下，頭微微歪斜又嚼了一下，雙眉甚至皺攏過來。

「這味道還眞是特別。」

對於這意外的反應，提調尙宮比韓尙宮更爲吃驚。

「殿下，這點心還滿意嗎？」

「嗯，寡人原本一直討厭生薑的氣味，但這點心一點兒氣味也沒有，味道還眞好。」

嘴裏還在嚼尙未吞下，王上的手已經又性急的拿了一塊薑粉茶食，韓尙宮的臉上這才有了血色。

回來之後的韓尙宮立即下令把長今和連生關進了倉庫，在黑暗中彼此肩靠肩相倚著，睜眼熬過了一夜，直到太陽高升時才被放出來，而等著這兩個孩子的是訓育尙宮殘酷的抽打，尤其集中在長今的身上。

「妳沒有資格成爲宮女，所以也不必學習了，以後妳就擔任清掃工作吧。」小腿肚被抽打到紅腫欲裂不說，訓育尙宮又加了如晴天霹靂的一句。

「嬤嬤，請原諒我一次，我保證以後不會再發生這種事。」長今跪下來苦苦哀求，可是訓育尙宮連眼睛都沒眨一下。

「住口！馬上給我出去。」

耗盡力氣在挨打中努力壓抑苦忍的淚水終於奪眶而出，若無法在十五天的修練期學習的話，現在要當宮女的心願便無異於奢想。

長今癱坐在訓育場院子裏哭得嗚咽出聲，但也過不了多久便發現訓育尙宮教內命婦品階的聲音，從自己坐的地方也聽得到。

「妃……嬪……貴人……昭儀……」

長今不知不覺的停止了哭泣，並開始跟著那個聲音背誦起來。

「尙宮、尙儀、尙服、尙食、尙寢、尙功、尙正、尙記……」

「尙宮……尙儀……尙服……尙食……」

兩頰雖還掛著長長的淚痕，但背誦著宮女品階的長今眼珠卻炯炯有神，最後她索性打起精神拍拍屁股站起來，拿起掃帚走上崗位。

從第二天開始，所有訓育場、尙宮、宮女處所的清掃工作都落在長今身上，而爲了能夠趕上在教育的時間清掃訓育場，她不斷彎腰辛勤工作，咬緊牙關完成所有的工作，只要及時趕到訓育場院子前方，一顆心便自然而然的興奮起來。

「接下來是弘文館！」

「……領事……大提學……提學……副提學……」

一面獨自掃著院子，一面跟著背誦的長今興致勃勃。

「直提學、典翰、應教、副應教、校理、副校理、修撰、副修撰……」

配合著韻律掃一下就背一句，長今甚至會在掃過的地方一掃再掃，白天的訓育場院子就這麼交織著一個孩子和慢慢移動的陽光身影。

進宮來已過了十四天，這天正當她在擦拭訓育場地板的時候，聽到從門的另一邊傳來聲音說：「明天各處所的尙宮嬤嬤會到這裏來，檢驗妳們在這期間所學和熟悉的程度，然後選取合意的孩子，若無人選取的話，就必須即時退宮，因此，想要當宮女的話，希望各位要把握機會，盡全力展現學習的成果。」

把耳朵貼在門縫上偷聽的長今連手中的抹布都沒放下，就因太過專注而把訓育場的門給擠開了。

「妳在做什麼？」

訓育尚宮一看到等於從門外「跌」進來的長今就高聲大喊，但長今已不計結果的衝到她跟前跪下。

「嬤嬤，我以後再也不會違反規定，請您也讓我參加檢試。」

「住口！」

「無論交待我做什麼我都會做，請讓我參加檢試吧。」

「本來是要觀察妳這幾日的反省行爲，但妳卻還是這麼魯莽啊，是不是一定要打到皮開肉綻才甘心呢？」

「只要讓我參加檢試，挨多少打我都願意，請讓我待在宮裏，我一定得留在宮裏。」

聽了這話，訓育尚宮大笑問道：「妳爲何一定要待在宮裏呢？」

「我……我是……」

無法說出是要繼續完成母親最大的夢想，不得不把已經湧到喉間的話又吞了回去，那硬生生無法消化的言語，便全數化爲熾熱的眼淚滑落面頰。

「……我是……我沒地方可去。」

原本豎起耳朵聽著的修練生間立刻爆出了嘲笑聲，令路撇著嘴唇輕蔑的冷笑，連生則是連看也不敢看的索性閉上了雙眼。

「沒地方可去?好!那妳把那邊那個水桶裝滿了水舉好，能夠舉到明天檢試時間結束，一滴水也沒有流出來的話，我就讓妳參加檢試。」

聽了這不像人話的條件之後，長今卻以高興到雀躍的表情應道：「是，嬤嬤!我做，一定會做到。」

修練生笑得比剛才更大聲了，連生則難過到把臉埋在雙膝之間，明明是兩人一起犯了錯，所有的責罰卻幾乎都落在長今身上，自己又沒有勇氣挺身護友。

「只要滴下一滴水，會怎樣妳知道嗎?」

負責檢試的考選人員威脅似的說著，把水桶舉在頭上的長今毫不氣餒地回答，「我很清楚，請別擔心。」

「哼!我看妳能維持多久。」夜裏覺也不能睡，得陪著一塊兒熬夜的考選者潑辣地說。

長今緊閉嘴唇，手臂、雙腿和腰肩等沒有一個部位不痠疼到發抖，可是她仍然不肯把水桶放下，眞的快要挺不住的時候，就暫時坐一下再站起來，每次這樣時，考選人就翻白眼瞪道：「誰叫妳坐下的啊?」

「尙宮嬤嬤只叫我舉著水桶，並沒說不能坐下。」

雖然沒什麼禮貌，但是她說的話卻又讓考選人無言以對，只有繼續瞪著眼怒視長今。

一到幾乎要撐不下去的時候，長今開始哭出聲來，氣得正在打盹兒的考選人厭惡問道：「妳在哭什麼啊？」

「又沒說不能哭，不是嗎？」

「別哭成那樣，妳趕快放下來吧，我快睏死了。」

「不行，絕對不能放下。」長今一面說，一面又嗚嗚地哭出聲來。

「眞有耐力。」

令路站在檢試場口，盡在那兒幸災樂禍地吐舌頭嘲弄，而長今就像快要熄滅的燭火一般，已經連回答的力氣都沒了。

「賤東西應該要受更厲害的處罰才對，鷦鷯逐黃鳥嘛，當然要撕破妳的羽翼！」

「我不是賤東西。」再怎麼疲憊，這件事仍不得不反駁。

「妳！聽說是太后殿至密尙宮薦舉進來的，是吧？賤東西怎麼得到那麼牢靠的一條線啊？」

「我都說我不是賤東西了！」長今的聲音更高亢了。

「整夜舉著水桶……厲害啊！賤東西也眞厲害，只要掉出一滴的話，一切就都結束了，妳知道吧？」

好像光說風涼話還不夠似的，令路竟伸出手來猛戳水桶，不過眞正讓長今受不了的，還是說她賤的話。

「不是跟妳說我不是賤東西了嗎！」

「哼！連父母都沒有，到處遊蕩要飯的賤東西，只養活了一張嘴，妳父母一定也像妳一樣賤吧？那當然囉，賤東西一定是賤東西生出來的嘛，這還用說。」

最後這句話終於讓長今眼睛冒火，連舉了整晚水桶的理由都忘了，往前一步就把水桶倒蓋在令路頭上，令路立時成了彷彿剛從水裏被撈起來的模樣。

「這……這是在幹什麼，妳們到底在幹什麼？」

令路一面哭一面指著長今控訴：「長今忽地就拿整桶水來蓋我。」

「妳眞的這麼做？」

可是長今現在滿心憤怒，只顧著瞪住令路看。

「問妳話呢，還不快回答？」

長今心中坦蕩，也不想辯解，急的反而是連生，之前的愧疚加上眼前的焦急令連生蹙眉閉眼，最後終於跑到訓育尚宮面前鼓起勇氣說：「呃，事實上是令路先去戳長今的水桶。」

朋友的這一句仗義執言終於讓原本強忍的長今湧出淚水。

「我挺得住的，但是嬤嬤，求您讓我參加檢試吧。」

令路和長今誰哭得比較大聲呢。訓育尚宮之前要長今舉水桶，說是一個賭注，其實也像是懲罰，事情到這地步，她不禁大為棘手，又發現提調尚宮已來到跟前。

「到底在說些什麼啊？」

「勞動嬤嬤您傷神，奴婢惶恐。」

「唉，究竟是什麼事，趕快詳細地說明吧。」

「眞是惶恐啊，這孩子想當宮女，但因其言行不適合，所以不讓她參加檢試，偏偏她苦苦哀求，我於是令她舉水桶以作爲懲罰。」

「水桶和檢試有什麼關聯呢？」

「舉水桶而不滴下一滴水的話，就讓她參加檢試是我提出的條件。」

「從何時開始？」提調尚宮露出關切的神情。

「昨晚開始……」訓育尚宮有些心虛的回答。

「什麼？從昨晚開始的話，已足足過了三、四餐飯的時間，不是嗎？」

訓育尚宮無言以對，提調尚宮則連連咋舌，似乎在表達她覺得不可思議的感想。

「雖然我不知道之前是犯了什麼錯，不過那樣程度的處罰，應該足以讓她反省有餘了，就讓這孩子參加檢試吧。」

「跟著來吧！」訓育尚宮不得不召喚長今道。

提調尚宮坐在最前面，各尚宮則在其後並坐成一排。

「試場內誰也不會多說一句閒話，既然是訓育尚宮跟妳約好條件，我就准妳參加檢試。」

提調尚宮的聲音嚴謹。

「妳好好聽清楚了，同樣是正三品，但仍細分爲堂上官和堂下官，堂上官稱爲令監，堂下官稱大人，相信妳都知道！」

「是，嬤嬤……」長今仔細聆聽，不敢有半絲鬆懈。

「那麼，正三品堂上官職說給大家聽看看。」

「全部都要說出來嗎？」

「不要讓我叫妳說兩次。」提調尚宮眼神轉爲凌厲。

「是。」長今呑下滿嘴的口水，大家的眼睛跟耳朵都投注在她身上。

「宗親府中是都正，儀賓府中是副尉，敦寧府中是都正，各曹中是參議，承政院中是都承旨、左右承旨、左右副承旨、同副承旨，司諫院中是大司諫，經筵中是參贊官……」

長今流暢的一一說出，中間既沒有停頓，臉上也沒有露出苦苦思索的模樣。

「內侍府中是尙醞，戶曹中沒有，禮曹中是弘文館的副提學，春秋館的修撰官，成均館有大司成，刑曹有判決事，外官職方面有大都護府使。」

「接著我再問妳，三國時曹操和劉備爲爭漢中之地打仗，因爲無法決定是要進擊還是要撤退，讓曹操陷入困境，那時有部下問他該怎麼辦，曹操只說了『雞肋』二字，沒有加上任何說明，但部下還是弄清楚了他的意思而撤軍。雞肋意味著什麼，妳知道嗎？」

「雞肋是指雞的肋骨，食之無味，棄之可惜，雖然可惜，但沒有什麼大不了的，所以認爲是撤軍的比喻。」

「嗯，相當好啊，韓尙宮！」提調尙宮喚道。

「是，嬤嬤。」

「這孩子妳帶去教育吧。」

那是通過檢試的意思，起初長今還不懂，不安的環顧四周，等弄清楚意思之後便忍不住開懷大笑，提調尙宮指揮所有尙宮離開訓育場，長今趕緊跟在後面行了禮。

一路來到處所韓尙宮都沒說話，似乎是不容易接近的樣子，臉上一逕掛著冷冷的表情，可是說也奇怪，長今一見韓尙宮，心便安定了下來。

韓尙宮在進入處所後就寢之前，把準備好的話對長今說：「妳再引發一次那種騷動的話，我就會立刻叫妳走，知道嗎？」

「是。」

可是一看到小傢伙馬上消沉，韓尙宮又於心不忍。

「妳舉了三、四餐飯時間的水桶，眞的很不容易，妳那麼想待在宮裏的理由是什麼呢？」

「……」長今並沒有馬上回答。

「沒關係，妳說說看。」韓尙宮鼓勵道。

「想成爲水刺間的最高尙宮。」

韓尙宮的臉色立刻變冷變白，這是全心投入執著於一事的口氣，當年好友一投入之後就出了事，成了自己一生的遺憾，做夢也想不到眼前又來了一個，韓尙宮一顆心不禁不斷的冰冷下去。

第五章　宮

雖然過了一段不算短的日子，韓尚宮還是不容易接近，別說是教她什麼了，就連話也很少跟她說，長今不知道原因，只能在心裏乾著急。

想學的東西有一大堆，但長今大多數的時間卻都只能擦洗碗盤，實際上，有時光是擦洗碗盤便占去所有的時間，那是因爲長今連這份工作都專心盡力的做，不管如何，無論什麼工作都好，心想若努力去做的話，韓尚宮至少會願意留她在身旁，現在也只能把這當做是一個目標了。

這段期間天降土雨，短短五天之內，夾帶灰土的大雨籠罩全國，遂訂定這個月初七爲祭祀之日，當時的土雨被視爲對國王政績不彰，或者官員行事不當的報應與象徵，成宗大王時代連下二十二天的土雨便曾延續到燕山君時代，使得百姓人心惶惶。當今王上（中宗）是以政變的方式登上王位的，而此時正是他主政還沒多久的時候。

下雨的日子過得昏昏沉沉，水刺間上上下下的臉色也跟天空一樣灰澀，正所謂福無雙至，禍不單行，這一天終於發生了事端。

長今才跟著韓尚宮來到天色微明的院子前方，閔宮女便從對面跑來說：「不得了啦！」

「大清早的幹嘛這麼喧嘩？」

「現在太后殿的燒廚房已經沸沸揚揚，大家都在那裏，請您也趕緊過去。」

韓尚宮感覺到事態似乎相當嚴重，便不再追問，立即前往太后殿，留下長今單獨一人，長今好像知道自己該做什麼，便先往井邊去了。

韓尚宮到達燒廚房時，最高尚宮正追究太后殿的嚴尚宮。

「這些食物怎麼會腐壞到這種地步呢？」

「我也不知道是什麼道理，太后娘娘說今天要早點用早膳，所以我昨晚就把材料都準備好放著，剛剛要來配置時，一看卻是這副模樣。」

「又不是大熱天，也不是用海產，現在妳嘮嘮叨叨辯解著些什麼呢？怎麼會才隔了一個晚上，所有的材料都腐壞掉了呢？是不是妳昨晚動手之前，材料就已經壞了，是那樣對吧？」

「不是的，我怎會不懂得區分食材壞了沒有呢？尤其不只是一、兩種，是所有的材料都餿掉了呀，一定有什麼別的理由在。」

「這兒是誰在管理材料啊？」

圍站著的宮女中有一個站了出來。「是我在管理。」

「管理上沒有什麼疏忽吧？」

「是，昨天傍晚從內資寺配發出來時，各項材料一點問題都沒有。」

內資寺是掌管宮中所有食品的官廳。

「這還眞是見鬼了！」

最高尙宮的頭歪過來、斜過去的想也想不通，一邊仍不死心的每樣食物都嚐一下，此時一個宮女急急忙忙跑進來。

「嬤嬤，不得了啦！」

「又是什麼事？」

「東宮殿的食物也全部壞了。」

「怎麼會連連發生這種怪事……」

最高尙宮氣得話也說不下去，一直在一旁聽著的韓尙宮則略微猶豫的提出看法：「嬤嬤，這麼說或許有點輕率，但會不會有可能連大殿水剌間的食物也有所變化了呢……」

最高尙宮經提點後露出擔憂表情問：「今朝大殿水剌間是誰當值啊？」

「是辛尙宮。」

「趕快去看看。」

好在大殿水刺間的食物並無大礙，可是辛尙宮又因爲其他問題而發怒。

「碗盤和蔬菜到現在還沒送進來，究竟是怎麼回事？調方你倒是說說看！」

「我明明叫她昨晚都得弄好的……」叫做調方的孩子辯稱。

「叫誰？」

「我是說長今。」

「那麼多的碗盤洗濯擦拭，你全叫長今一個人做嗎？」

調方閉上嘴，辛尙宮則揮舞雙臂，一副不敢相信的模樣。

「也就是說這一段期間大殿水刺間的碗盤和蔬菜的清潔洗濯，一直都是長今一個人在負責的囉？」韓尙宮帶著要搞清楚的表情問道。

「是的，嬷嬷……」

韓尙宮沒有把答話聽完就往井邊跑，一旁看了奇怪的其他尙宮便也跟著過去。井邊有一頂大傘，傘下的空氣都在晃動著，每座灶上的大鍋水都在沸滾，長今一人正用掏火棒翻捅著熊熊大火，井旁待洗的碗盤堆積如山。

「長今，妳在那裏做什麼？」

韓尚宮忽然出現，大喊著走過來，看得長今一臉驚訝。

「長今惶恐。」

「我問妳在做什麼？」

「因爲火勢一直不旺，才會有所延遲，現在水已經燒滾，我會趕快洗完碗盤的。」

「妳把水煮沸了洗碗盤嗎？」

「是的，因爲天下土雨的關係，井水都變成泥湯了，加上還得等水冷了之後，才可以用來洗那些食材，不得已延遲了。」

「……」

「我會做完碗盤洗濯工作的，嬤嬤。」

「是誰教妳這麼做的呢？」

「這……」因爲不明韓尚宮的話意，長今不免有些驚慌。

但韓尚宮已經打斷她追問：「是妳自己懂得要這麼做的嗎？」

「不，是每次下土雨的時候，看到母親這麼做的。」

「妳母親？」

「是，母親說要是就這麼用泥湯水洗的話，食物中會有泥沙，不但味道不好，難以消化，而且還會馬上餿掉，又說若不懂這個簡單的道理的話，雨季和土雨來的時候，一不小心是會引發瘟疫的。」

韓尚宮以及跟著來的最高尚宮，外加以下其他宮女聽了都頻頻點頭，長今並不知道箇中緣由，光是沒有挨罵就露出了安心的表情。

當晚，韓尚宮就寢前把長今叫過身邊坐，雖然住在同一個房間裏，可是別說是對話了，平時韓尚宮是連正眼也不看她一眼的，這樣的長輩讓長今覺得實在太難接近了，難到熄燈躺下時，面對自己的呼吸都覺得好像大聲到教人不舒服的地步。

所以這是韓尚宮第一次要她做私人的事。

「我口有點乾，妳倒一碗水給我好嗎？」

長今熱心地問道：「下腹部疼嗎？」

「不會。」

「今天您的說話狀況嬤嬤都留意到了吧？」

「嗯。」

「喉頭不舒服嗎？」

「我本來就有喉嚨易痛的體質。」

一聽完這話，長今便快速地跑出去，倒了一碗水進來，是一碗叫人窩心的溫水。

「溫水中我還加了些鹽巴，請嬤嬤像喝茶一樣慢慢的喝。」

「好，謝謝啊！妳幫我倒水之前，還先問了一些情況，這也是跟母親學的嗎？」

「是的。」

「調理食物心是很重要的，總要先瞭解吃的人的身體狀況、體質適不適合等等，整體衡量之後再選擇材料和調理的方法，這樣才能做出好的料理，妳明白嗎？」

「我會牢記在心的。」

「可是妳好像已經從妳母親那裏學到了，眞是一位了不起的母親。」

一聽韓尙宮說出「母親」兩個字，長今的喉頭就發緊。

「妳母親一定知道飲食就是對人的心意啊。」

內心的緊張慢慢舒緩的長今，終於被韓尙宮這句溫暖的話刺激到流淚。

「領妳過來的第一天，妳說想成爲最高尙宮，我聽了委實有點刺耳，心想妳這小東西的野心還眞不小。雖然我仍不知道是什麼讓妳立下這麼堅韌的夢想，可是，妳現在就不要再哭啦，若是意志變弱，那是絕不可能爬到最高尙宮的位置的。」

聽到這話，長今停止了抽噎，抑制了哭泣，強行壓抑的嗚咽經過了胸口，終於化爲一聲輕嗝。

第二天清晨，長今走向工作場的腳步與往日不同了，比起以往堅定與自信多了。到了下午也不知道雨是暫停還是下完了，反正土雨終止，陽光終於露了臉。

今天在大殿水刺間裏，生角侍的工作場上，是大夥兒動手做祭祀用堅果類的工作日，但見調方、令路、彩蓮、昌伊等十多個生角侍兩人一組，一字排開辛勤地工作，一組負責把栗子削成花，另一組則是把乾魷魚剪成鶴，也有把明太魚乾剪成鬚狀的，還有的把米糊塗在紫菜上，看得長今連聲讚歎。

「妳們到這邊來。」

調方一叫，長今便一個箭步跑上去，發現松子和松葉枝堆得老高。

「妳們負責把松葉夾進松子裏。」

調方說完，昌伊和彩蓮接著各問了一句：「這麼多全部要弄啊？」

「先找出松子上的小洞，每個夾一支松針就行了。」

「那麼小的洞，要怎麼一個個的找出來呢？」

「怎麼找……就照著我說的去做啊，哎呀，妳們怎麼這麼囉嗦啊？不馬上開始做的話，我會要妳們的命，知道嗎！」

面對調方的恐嚇，生角侍們個個嘴巴翹得老高，卻都敢怒不敢言，只敢裝模作樣的小聲嘀咕，找不到小洞的就拿起松葉亂揮，然後隨便亂塞。

埋頭於找松子小洞而雙眼發疼的長今打算喘口氣，抬頭往後一仰，卻看到連生哭泣的模樣。

「怎麼哭啦？是挨了尚宮嬤嬤的罵嗎？」

「小烏龜死了。」

「真的嗎……」長今知道連生有多寶貝那隻小烏龜，實在不知道該怎麼說。

「我進宮來的時候，母親說小烏龜只要健康的話，母親也會舒服健康，妳就不用擔心……」連生嗚咽道：「現在這樣，會不會是母親病重了呢？」

母親，這是一聽就會教人喉頭緊縮的字眼，所以長今說不出話來，只能用疼痛的眼睛望著連生。

此時傳來門響的聲音，東宮殿池宮人探了個頭進來，調方和芬伊等年齡輩分較高的生角侍們立刻蜂湧過去。

「妳們聽說了沒？今英又獨自進去偷偷練習了。」這是池宮人帶來的消息。

「是嗎？這一次題目是什麼呢？」

「那個誰知道啊，是只有最高尙宮和崔尙宮才知道的祕密。」池宮人心有不平的說。

「太過分了，只有她先知道之後加緊練習，我們有什麼法子贏呢？」

「就是嘛，叫我們每天學插松子之類的，她嘛，一進來就學了用刀的技法，眞不公平。」生角侍們七嘴八舌的說。

「啐！要是題目定爲插松子的話，得第一的機會還大些……」

「今英在這個勾心鬥角的宮裏有姑媽和姑婆的庇蔭，而且還讓她得了第一，獨占了出宮的休假獎賞……哎唷，眞是惹人討厭！」

「有人在宮裏待了七年，期間一次也沒回過家呢！」

「對了，」突然有人想到，「這次不是有個生角侍進入今英手下去嗎？也許她會聽到些什麼吧！」

「對！叫令路的，是不是？」

儘管已經盡量壓低了聲音說的話，年幼生角侍這邊仍全都聽到了，在年長前輩的瞪視下，無可奈何的令路一下子便和盤托出。

「我也不太清楚耶，好像是叫做什麼龍製蘚的吧，我聽過是那樣說的。」

「龍製蘚的話……」

「是用去頭的豆芽菜裝飾成龍的模樣，我曾在一旁看韓尚宮嬤嬤做過。」這群較年長的生角侍又你一言、我一語的討論起來。

「是那個沒錯，今英這下完了。」

「我們也培養了豆芽不是，就拿那些來練習好了。」

「是啊，今天起大家一起練習，把今英厲害什麼的都拋諸腦後吧！」

她們好像已經拿下第一名似的，得意地鼓掌叫好，調方更是直接從她們那一群走到後輩生角侍們所在的地方。

「從現在開始我們有事要做，妳們絕不能給我們找碴兒，不能出現瑕疵，一定要在限定的時間內完成工作，明白嗎？」

一面口出威脅，一面把自己的工作推卸下來，霎時長今和連生面前的松子和松葉枝又堆高了一層。

「今英是什麼人啊？」看著她們一湧而出的昌伊噘著嘴問。

「是在最高尚宮嬤嬤房裏的生角侍啊。」令路得意的接話說。

「可是妳剛剛對姊姊們說的話如果被發現的話，妳要如何爲自己辯白呢？」

「就說她們再怎麼樣也贏不了今英姊姊，所以才跟她們說的囉，依照我家別監大叔說，她可是在會說話之前就已經熟練燒菜之務了，說她是神童。」

「哇，眞厲害，眞好。」

生角侍群中發出了感嘆、羨慕、歎息和猜忌等聲音，心中則是不無震盪。其中，靜靜的身處在生栗和魷魚當中，心中完全沒有雜念的，或許只有一位，那便是和連生坐在另一邊的長今，找松子孔找到眼睛發疼。

這活兒一直到深夜都還沒做完，大家回處所去了，只有長今和連生留在工作場上垂淚望著剩下的活兒興嘆，而連生或許是因爲心繫母親，分明心不在焉，卻又強自撐持。

才聽到了腳步聲，滅火軍兵士就進來了，又忙著找尋草蓆和沙包的跑來跑去，他們等於可說是宮內的消防員。

「這麼晚妳們還不熄火在幹嘛？」

「因爲工作還沒做完，所以……」長今企圖解釋。

「熄火（燈火）！」

「這個若不做完會遭殃的。」

「不行！一定得熄火。」

被趕出工作場的長今堅持把已經累得吃不消的連生推回處所，自己也回韓尚宮處所，可是燈已經熄了，長今不想吵醒韓尚宮，於是回頭到處尋找可以工作的地方，終於在低矮後山腳下一角，找到一個月光明亮的地方。

還好有一輪明月高掛，但藉著月光尋找松子孔，仍像是在黑暗中穿針引線一般的困難。

「妳我大概是僅在晚上有緣得見的人吧！」

忽然傳來的聲音讓長今嚇了一跳，抬頭一看，只見那位向著宣政殿行大禮的生角侍正對她露出了微笑。

「啊，妳是那次那位……」

「這麼晚了，妳到這兒來做什麼？」

「唉，話也別說了，還不都因爲那個叫做今英的生角侍姊姊啊！」

「今英怎麼樣呢？」

「她是最高尙宮的侄孫女，每次競賽的時候，嬷嬷們事先都只把題目告訴她一人，所以經常拿第一，獨自包辦了所有出宮的休假。」

「所以呢？」

「不過這次姊姊們說已經知道題目的內容，因此要加緊練習，就這樣把她們份內的工作推給了我。」

「認爲練習的話就能贏嗎？」

「是的，說只要能做相同的練習的話，或許就能贏吧。」

「嗯，這次的競賽一定很有趣。」

「不知道，只知道如此一來苦了我，連覺也沒得睡，姊姊們說，嬤嬤從來不叫今英做插松針之類的事，所以說如果是以比插松子來分勝負的話，機會就差不多。」

「意思是說比插松針的話，就有自信贏嗎？」

「不知道，反正在天亮以前我得把這工作做完。」

「不要用眼睛看著做。」她突然說。

「啊？」長今一時之間無法明白她在說什麼。

「我說不要這樣把松子舉高照著月光找。」

「那該怎麼做呢？」

「全神貫注在手指尖上試試。」

「唉，光用手怎麼做呢？」

「本來叫生角侍插松子，爲的就是要活絡手指的感覺啊，若是連這個基本道理都不懂，只一味的硬插是無法增加實力的，妳把松子放在指尖輕輕地滾動試試看，久而久之，就會自然摸到孔洞。」

長今立刻按指示去做，但卻是不怎麼行，而定睛一看，這個生角侍已經離開了，剛剛她所在的位置只餘一片皎潔的月光。

競賽大會是在舉辦宮女儀式之前進行的，所有的生角侍都要參加，處於緊張狀態的俱是十五、六歲左右的生角侍，較年幼的生角侍懾於現場的氣氛，眞正的競技反擺在其次，主要是因爲無論從事前規劃或手藝技巧來說，都無法超越前輩，所以只要能夠參加，她們就很滿足了。

焦急等候競賽開始時，崔尙宮出現了，長今看到跟著進來的生角侍的臉，不禁嚇了一跳，幾天前教她插松子法後就飄然消失的生角侍不正是她嗎？但在兩人眼神交會之際，對方卻冷冷的把頭轉開，那是跟先前完全不同，隱含傲慢的神情。

「那個姊姊就是今英呀！」

身後傳來令路低沉的聲音，長今更是驚訝到呆掉了。

「好，大家都準備好了嗎？」

崔尙宮環視了座席一周，暫緩片刻。

「好，那就開始吧！」

「請等一下，嬤嬤！」今英忽然開口道。

「什麼事?」

「想請求嬤嬤一事。」

「請求我?」

「把競賽的題材改變一下好嗎?」

場內開始出現騷動,調方和芬伊彼此交換了一個眼神,像是在說這會兒又想要玩什麼花樣了。

「改變題材的理由是什麼?」

「聽說生角侍們對我不滿。」

「什麼?」

「說最高尙宮嬤嬤和崔尙宮嬤嬤兩位偏愛我,競賽時老是給我第一,大家對此感到相當不滿。」

「是哪些不懂禮數的傢伙,專嚼舌根胡說八道的呀?」

「初聞此言的時候我也憤慨難平,可是仔細再想想,似乎是從一開始便跳過了修練的課程,才會導致這種誤解吧!」

「但妳進宮之時,程度分明就與一般生角侍有著天壤之別了。」

「事實或許是如此,可是現在我認爲有個可以消除我與大家之間的心結,確切平息誤解的辦法。」

「是嗎？那是什麼辦法啊？」

「我雖跳過了修練課程，但她們卻是從擔任生角侍初期起到現在，數年來一直都做著插松子的練習，那就比這一項吧！」

意外的提案一出，焦急等待著的生角侍之間立時爆出歡聲，大家都一副這樣最好的表情。

「好，妳若眞的願意用這項比的話，那我們就這麼做吧！」

「只是要把燈火熄滅。」是今英提出的條件。

「喔，這法子還眞妙，反正插松子是爲了活絡手指的感覺，相信這期間指尖培養了多少感覺，關了燈火便可得知。」

生角侍們一副原本好好的事情又生變的模樣，互相交換了不安的眼色，今英的嘴角嘲笑般的往上翹了。

煤油燈一熄，面對著一片黑暗，四處霎時發出長嘆聲。長今沉著的抓起松子和松針仔細地摸索，這段期間雖然也曾加緊練習，就連夜來躺下休息前也會用左手姆指和食指來找松子孔，可仍未達到能在黑暗中靈巧動作的地步，充其量那也只是爲了熟絡手的感覺做的練習，再怎麼也想像不到，竟然會成了今日競賽的題材。

就像剛剛熄燈時一樣，眼前忽然又大放光明，在生角侍們紛紛放下手上的松子和松葉，調方和芬伊還想多插一個卻仍然難脫生疏而告失敗。

「停！」

崔尚宮一喊停，生角侍們就開始左顧右盼看別人的成果，結果只有今英獨占鰲頭，插了二十三顆，年幼的生角侍幾乎全軍覆沒，調方四顆，芬伊只有兩顆，也算失敗，但有個孩子插了八顆，那是長今。

「妳們的手藝眞差！」

崔尚宮一面怪罪眾人，一面又露出滿意的笑容說：「妳們看！這就是今英跟各位的差別，她三歲便開始學習料理，比起妳們當然是要略勝一籌，但這些暫且不論，叫妳們競賽，原本的目的就不在於分出高低順位，而是爲了給妳們刺激才安排的，連這一點意思都無法體會，還誣陷同學，甚至蔑視最高尚宮嬤嬤和我？這事我絕不會就此作罷！」

「嬤嬤，這件事就這樣算了吧！」

「辦不到！」

「她們也可能是因爲不懂事而有所曲解啊！反正現在已經清楚的了解自己的實力了，相信以後會懂得謹言愼行，不再胡亂誣陷了。」

「不行！心地偏差，無法成大器的東西，現在就該連根拔除！」

「嬤嬤！拜託您……」

接觸到今英懇求的眼光，崔尙宮立時面露爲難，但拗不過姪女的請求，最後還是點了頭。

「好！只此一次，下不爲例。妳們可要懂得感謝今英，如果還有亂造謠言的力氣的話，就該精進自己的實力才對。今英呢，可以出宮休假三天。」

「不，就是因爲連續都是我出宮休假才會引來這一連串的事端，所以請嬤嬤允許這回讓第二名的孩子出宮休假吧！」

「不必如此，這又不是妳的錯！」

「我都這麼懇切地請求了，就請您至少答應這麼一回吧！」

「妳也眞是的……」崔尙宮的臉色更加慈愛的說：「不僅料理做得好，怎麼連心地也這麼善良啊！好吧，第二名的是叫長今的吧！」

仍被今英弄得滿心迷惑的長今，一聽到自己的名字被叫，就慌張得不知如何回答。

「上次下土雨時妳立了大功，這次也做得不錯喔，插松子的手藝也是跟母親學的嗎？」

「噢，不是的，嬤嬤。」

「那麼，年幼的妳什麼時候積存了這等實力啊？」

「是那……那一個晚上……」

「晚上？」

「是今……今英姊教我的。」雖說得結結巴巴，但總算是說出來了。

崔尚宮用終究還是等於今英技冠全場的表情得意地笑了，生角侍們則相對的全都露出了敵意，長今心想這下自己眞的是死定了。

「因爲看到她半夜裏獨自出來努力加緊練習的模樣，我覺得奇特，其實也只不過告訴了她一點要領而已。」

「是啊，是啊！」

崔尚宮每點一次頭，長今的心情就愈低落一寸。

「今天早上的事我聽說了。」

韓尚宮晚上一回到處所就提起早上發生的事，長今的淚水便又流個不停。

「噢，別哭了，我說的不都是實情嗎？」

「嗯，可是嬤嬤，姊姊們誤會我了，以後可能都別想要跟她們好好相處了，這該怎麼辦好呢？」

「就算那樣也不算是誤會吧？」

「啊？」長今聽了停止哭泣，有些不解的望著韓尙宮。

「妳向今英吐露的一切本來就是事實不是嗎？」

「那……那是我還不知道她就是今英才會這麼說的……」

「這就是王宮啊！若口無遮攔，隨時都會遭遇到預期不到的變化，這就是王宮啊！」

韓尙宮似有所感的說出這話，突感胸口一陣刺痛，想起了往事。

「雖然她問說還有誰知道，但我並沒有提到妳。」

這話到現在還歷歷在耳。

「我是想……也許還沒有完全搞清楚，不是嗎？」

是明伊這麼說的，若是未經考慮就對氣味尙宮說出自己的名字的話，顯然那時候兩個人都沒命了。

在聽說明伊被捉進崔家去的時候，她就決斷與其不明不白、無人知曉的死在崔家，還不如當奴婢也要好上百倍，所以就差布莊的小夥計到捕盜廳去密告；而在聽說明伊中了刺客的箭後行蹤不明的消息時，她也不認爲明伊死了，就像她被灌下附子湯那時有她解救一樣，相信這次也會有人對她伸出援手，可是後來到義禁府去打聽，才知道明伊的丈夫已經不在世上了。當晚便在夢中見到了明伊，維持著當宮女時的模樣，藍裙加上紫玉色的背心，辮子上端插著刻有蝴蝶花樣的髮簪，下面則綁了掛有石雄黃裝飾的絲帶。

「明伊啊！明伊啊！」

雖然叫到喉嚨沙啞，她那邊卻好像什麼也聽不見似的，只顧著連連環顧四周，彷彿在等著什麼人，果然待一個身著軍官服飾，器宇軒昂的男子一出現，明伊便毫不猶豫地與他牽手上了路。

「明伊啊！明伊啊！」

也許是叫聲終於傳到了她的耳邊，明伊就回頭望了那麼一次。

「白英啊，第三個女人我就拜託妳了。」

說完就離開了，而從夢中驚醒過來的韓尚宮也終於知道明伊已經到另外那個世界去了，最哀痛的還是怎麼想也想不透她最後那一句話的意思。

「她是說第三個女人嗎？」

簡直無從捉摸，聽說她是留下了一個兒子啊。

「嬤嬤。」

在長今的叫喊聲中，韓尙宮才猛然從悔恨的深淵中掙脫出來。
「嗯！」
「不管怎樣，獎賞就是獎賞，我可以回家去一趟，對不對？」
孩子的天眞爛漫眞是又可愛又無奈，韓尙宮覺得好玩的笑了。
「請嬤嬤設法讓連生代替我出宮一趟好嗎？」
「呃，妳怎麼突如其來的想要違反規定呢？」
意外的請求顯然讓韓尙宮有些生起氣來。
「啊，可是，連生她因爲母親病重，老在哭泣呢。」
「是嗎？哪裏有病？」
「聽說是心臟衰弱。」
「我來向丁尙宮嬤嬤請求看看。」韓尙宮被長今的純良感動了。
「眞的嗎？謝謝嬤嬤，謝謝！」
長今高興得鼓掌，看得韓尙宮無可奈何的輕輕搖頭。
獲得丁尙宮的允許之後，連生就回去看她掛念不已的母親。想不到就在連生出宮休假回來的幾天之後，便意外發生了與丁尙宮也有關聯的事件，起因於提調尙宮忽然來查宮女們的房，結果在查房時發現了外面的男子。不定時的檢查宮女處所是宮中長久以來的習慣，可是出現男子的事卻屬罕見。

男子是在穿上裙子變裝之後，躲在樹下時，被覺得奇怪的宮女發現而露出了馬腳，那名被捉到義禁府接受追查的過程中，他說出自己是一名醫生，是進宮來給最高尙宮把脈看診，當時正要回去。但無論如何，他是醫生是一回事，最高尙宮讓一個男子進宮來又是另外一回事，加上把脈必須如此隱密，那定是出了大毛病，這件事幾乎把內命婦給弄得天翻地覆。

等餘波平息之後，提調尙宮即把最高尙宮叫過來。

「妳啊，也事先告訴我一聲嘛！」

「小的惶恐！」

「這事我已經頭痛很久了……嘖，妳這不成熟的人啊，把事情鬧到這種地步，我們該怎麼辦才好呢？」

「眞是惶恐！」

「私下讓男子進宮來的事，要我怎麼安撫？恐怕宮裏妳是無法待下去囉。」

好像是自己已經思考過的樣子，所以最高尙宮的表情沒有什麼變化。

「這事就如同已經潑出去的水，再也無力挽回了！空出來的碗也只有再裝新水了不是？我現在急的是要物色一個適任者來接替妳啊。」

「這倒不難，只需把崔尙宮提升上來……」最高尙宮提出。

「我也不是沒想過，只是王后娘娘不會答應。」

「是小的想法太莽撞了。」

「妳再推薦別人吧。」

「太后殿的朴尙宮，妳認爲怎麼樣？」

「那個不成，聽說她是南袞大監❶那邊的人。」

「那麼，生果房的金尙宮如何？」

「表面上像是個無欲無求的人，可是她跟沈貞大監是有遠房姻親，那日後會變得如何，恐無法掌握。」

連舉三人都得不到認同，最高尙宮才想到：「或許您心裏已有適當人選了吧？」

「實際上爲了這事吳兼護大監來找過我，崔尙宮接到任命書迄今已近三載，可是如今又加上妳的事，王后娘娘的心意更加不變，所以妳這邊暫時按兵不動也是個方法。」

❶正二品以上大官的敬稱。

「這話怎麼說？還有誰適任呢？」

「這樣的人選不是有一個嗎？是個返家的女兒，跟妳還爭過最高尙宮的位置，後來就如同退隱的人啊。」

「是丁尙宮嗎？一個看守醬庫十年以上的醬庫尙宮，如何負擔得起統御水刺間這般重責大任？」

醬庫尙宮是專門負責各種醬料的管理事務，所以幾乎沒有機會接觸到料理。

「妳看，所以她才是適任者呀！把丁尙宮找來當個傀儡，重大的事則全部交由崔尙宮負責。」

「聽說丁尙宮喜歡吟詩作歌等風雅之事，討厭任何頭痛的事務。」

「正因爲這樣，上面有我，底下有崔尙宮，在這種情況下還會發生什麼麻煩事呢？這樣子安排要是眞有須要負責任的事的話，只須要悄悄推卸掉就行啦，妳認爲呢？」

最高尙宮以未能完全釋然的表情點點頭，事實上在找不到最佳方案的情況之下，次善的就是最佳之策。

每個缸都裝得半滿，又亮又大又好看，醬缸台爲免蟲子來犯，一向把壇子架得高高的，鋪上石頭之後，再用墊石塞緊四周，最後一排是數十個大缸，前面是一排體積較小的中缸，再前面是幾排小缸，最前面則是形狀不一，但容量都差不多酒瓶大小的缸。

一般老百姓相信家裏醬缸若整齊的話，家就會興盛，搬家時也先從醬缸搬起，更何況是宮中呢。

「移花要趁月白時，恩怨總在三更天，一枝春心唯有杜鵑來告知，多情還似心痛一樣，直教人無法成眠……」——是丁尚宮甜美的歌聲。

陽光照在打開了的醬缸中，〈別酒夫傳〉興高采烈的曲調暫時中斷，然後又從中間摻和著接下去，連生、昌伊、彩蓮、長今等幾個生角侍們支著下巴聽得臉頰發紅，丁尚宮悠揚流暢的歌聲迴盪在陽光下，盡現她恬靜快活的心情。

「嬤嬤！嬤嬤！」

突然傳來的是閔尚宮的呼叫聲，把興致都給破壞了。

「提調尚宮嬤嬤在找您。」

「提調尚宮找我做什麼？我跟地位那麼高的人並無相關呀！」

「聽說是要您擔任水剌間的最高尚宮。」

「哼，聽妳在胡說！水剌間最高尚宮？讓妳做吧，要不然讓狗兒叼去也行。」

但丁尙宮萬萬沒想到接著就聽到一個清晰的聲音說：「妳得負責擔任水剌間的最高尙宮。」

因覺得這事來得太突然，竟沒注意到提調尙宮的到來，丁尙宮行禮道：「但小的一直是守醬庫的人啊。」

「大殿水剌間的工作有崔尙宮幫助，燒廚房全體的工作只需跟我商量即可。」

「眞的只有我可以考慮啊？」

「妳像令尊一樣悠然自得，以至於純良品性被埋沒了，但現在沒辦法，非妳出來幫忙不可。」

「那我就該負起責任來，誰教我信賴提調尙宮嬤嬤呢。」丁尙宮意外溫順的接受了職位。

戌時已過，晉升爲最高尙宮後的丁尙宮來到韓尙宮的處所來訪，連生則跟在後面一起進來，面有難色的坐到上位之後，才頗爲費力的說出第一句話。

「妳對於我坐上最高尙宮的位置有所疑議嗎？」

「哪有這種事？」

「可是爲什麼大家連個道喜祝賀也沒有呢？」

「說來惶恐，但好像不是嬤嬤您會樂於接受的位子。」韓尙宮終於實話實說：

「我認爲這是份因人事複雜而備感吃力的工作啊！」

「是啊，的確吃力。怎會不吃力呢？妳們認爲如何呢？」最高尙宮忽然對準了長今和連生問。

連生順口就答：「人應該活得不吃力才對。」

「對，長今妳的想法呢？」

「但嬤嬤您可以事事隨心所欲嗎？我老想不吃力地過日子，但日子過來偏偏經常是吃力的。」

「妳說什麼？說得還眞是有趣啊！」最高尙宮不像宮女般哈哈大笑起來，韓尙宮也跟著微笑。

「獨自一人把玩也玩夠了，從現在起想要跟別人一塊兒玩玩看了。」最高尙宮面帶微笑，正經八百的說。

「意思是原本淡泊的丁尙宮嬤嬤從今以後要跟別人一起起舞嗎？」

「舞由我來跳，妳就在一旁吃吃糕點看看熱鬧吧！」

一想到以後可能會惹上身的事，韓尙宮便先擔心起來，唯有年紀與閱歷尙淺的長今和連生不識話中深意，兀自歪著頭，露出不解的表情。

結果出人意表的事在第二天清早就發生了，窗外天空仍朦朧未明，最高尙宮忽地走進來並捲起袖子。

崔尚宮揚起眉頭問道：「一大早嬤嬤有什麼事啊？」

「給王上殿下的第一餐，今天由我親自來做。」

不知所措的崔尚宮茫然的看著她，最高尚宮已經找起材料來，接著就俐落的刀切、涼拌加佐料，絕非只會守醬庫的手藝。

端著餐點走過站成一排的宮女面前時，最高尚宮是相當神氣的。

在王上的座前擺上大圓盤、小圓盤、桌上盤等一堆餐具，大圓盤前的一排左邊是湯，右邊是餐，邊盤的三副匙筷則是給氣味尚宮嘗吃及挾菜入碟時用的。

「殿下，這是新上任的水刺間最高尚宮丁尚宮。」

提調尚宮向王上介紹後，王上關心的問：「之前負責哪兒啊？」

「醬庫。」

王上聞言表情立時微變，氣味尚宮已將檢試嘗味過的菜放上碟子，王上仍是一副不動心的模樣，放入口中咀嚼也不說一句話，提調尚宮早看得就臉色大變，淡泊的最高尚宮心底也漸漸焦急起來。

「是妳親手做的嗎？」王上終於開口了。

「是的，殿下。」
「不是常吃的炭烤豬肉，味道眞的大不相同，到底是什麼呢？」
「是麥炙。」
「麥炙？」
「這是很久以前蓊族所吃的食物，其製作方法據說連中國皇室也都隱密傳授，絕不輕易外流。」
「哦，是嗎？這倒教寡人好奇，什麼樣的密法？」
「就是在調理豬肉時不加醬油，而是添加和了水的豆瓣醬。」
「喔，密法就在於清甜的味道吧！正合我的口味。」
除了麥炙，王上也品嘗了其他的食物，每次都露出滿意的神情，提調尙宮和崔尙宮也都鬆了口氣。
難得這天早上水刺間所有的宮女都集合到食膳間來，偶爾有喜慶時，大家便會聚集到食膳間來用餐，今天也算是向新上任的最高尙宮致賀。
多張矮桌拼湊在一起，排成長長的一列，兩邊各坐一排宮女，最高尙宮尙未入席，所以中間空著一個位子，而空位旁就坐著有些裝腔作勢的今英。
不久最高尙宮走進來，看到之後就問崔尙宮：「這孩子是誰？」

「她叫今英。」

「一個生角侍爲什麼會坐在這兒?」

「從上一任的最高尙宮嬤嬤開始,她就一直坐那個位置,分享對飲食的評論。」

「是嗎?」

「她是個有著絕對味覺的孩子。」

「絕對味覺?」

「是的,嬤嬤。」

崔尙宮點頭回答,今英則露出得意傲然的表情。

「那麼,來試一次好了,這個妳吃吃看。」最高尙宮指著放在前面的麥炙說:「吃看看裏面放了哪些佐料,就妳所吃到的全部列舉出來看看。」

只嚼了兩、三下,今英就充滿自信地回答:「全部的佐料包含有醬油、醋、砂糖、芝麻鹽,還有水。」

「是。」

「但又有搗碎的蔥和蒜頭味和椎茸,一定是肉另外炒過的樣子。」

「另外炒過的肉中又加了什麼佐料呢?」

「醬油、搗碎的蔥和蒜頭、麻油、胡椒粉、砂糖、芝麻鹽等。」

「是嗎？妳們也都嘗一嘗，然後猜猜看加了什麼佐料吧！」

最高尚宮一下令開動，大家便都先夾起各桌上的「麥炙」，室內一下子喧嚷了起來。

「妳的感覺也跟那孩子列舉的一樣嗎？」最高尚宮對著崔尚宮問。

「是的。」

「妳也一樣嗎？」

這次是向著韓尚宮，但微側著頭的韓尚宮卻沒法回答說也是一樣。

「大家都這麼想嗎？沒有回答就表示也是一樣的意思囉？」

「是紅柿。」

不知從哪兒傳來清晰的聲音，但因爲太小聲了，以至於無法找出確切的位置。

「剛剛說的是什麼？」最高尚宮揚聲問道。

「不是砂糖，是紅柿。」

說話的是長今，場內先是一陣慌亂，接著大家趕快再嘗一次，今英的眼光都變涼了。

「怎麼會認爲是加了紅柿的呢？」

「是咬肉的時候發現有紅柿的味道。」

「對啊！的確是加了紅柿，所以有紅柿的味道出來，還叫妳們仔細想想再猜答案，我眞愚蠢。實在笨啊！這兒不就另有具備絕對味覺的人嗎？」

沒人想再說什麼話，大夥兒像全出了口氣似的，崔尙宮和今英的臉則紅似熟透的紅柿。

「紅柿答對了！比之砂糖，紅柿的甜味來得更加清柔，我是以試驗的心情加進去的，因爲紅柿對預防換季時的感冒或宿醉都好，剛好昨晚殿下喝了御酒，所以就加了進去。那孩子猜對了。」

感嘆和羨慕的眼光全都集中在長今身上，今英則因爲心生羞恥，連身子都顫動起來。

「做菜或有天賦實力的差異，可是品嘗味道卻是沒有分別的，這份平等就在於飲食本身，努力累積實力的話，不論年齡的多寡，都會得到公平的機會，若推遠來講，就是連這最高尙宮的位置也要傳給最有實力的人，希望大家瞭解這個道理，不斷戮力精進。」

最高尙宮這場演說一結束，生角侍們便開始大快朵頤，韓尙宮兩眼充滿信賴的望著最高尙宮，坐在角邊的長今還不知道自己犯了什麼忌，反而露出好久不見的笑容，就像回到了無憂無慮的時節，回到了在白丁山村和父母一起生活的快樂時光。

這事件過後，韓尚宮便叫長今每天的課結束後上後山去，規定她在百日之內摘取一百種野菜，長今果然就在百日內摘了百種野菜回來，用各種方法試吃，像是水煮來吃，曬乾了吃，炒炸後吃，當然也會生吃，再把各式各樣的味道和香氣詳細地記錄下來。

過了百日，韓尚宮盯著她閉上眼睛來玩味各種調味品和佐料，用筷子沾著辨味，通過這個課程後即對她展開閉著眼睛正確地計量，就是不用看，光用指尖抓取適當的量來做出最佳味道的訓練，接著又學習食物彼此間對比、提升、抑制味道的各項特性。

「把甜的東西加到酸或苦的食物裏會中和味道，把鹹的加進甜又香的食物裏則會使味道變得更濃。」

接下去韓尚宮再教她熬煮肉湯以及使用藥材的方法，還有分辨各種水，學會運用性質不同的淨水、熱水、冷水、黏水、米水、礦泉水、加進糯米粉的水等等，以改變食物的味道和箇中的原理。

這期間，長今的好奇心無止境的擴充，引起了種種事端，像是爲了測量水量在鐵鍋中逐漸減少的時間，而把鍋燒乾；爲了知道燒什麼木柴較好，而試燒各種木柴卻釀出小小火災；還有爲了試嘗味道而犯了用手抓取的忌諱。

就在這一片紛亂中，水刺間發生了教人擔心的事，孝惠公主開始厭食，到了第六天，竟連王上和王后也拒絕進餐，理由是公主不吃，做父母的無法自己塡飽肚子，水刺間正爲此苦思不得其解的當兒，公主又越發惡化的暈眩過去。

這對提調尙宮以下最高尙宮、崔尙宮、韓尙宮來說，都是晴天霹靂的消息，於是提調尙宮下令要崔尙宮來解決，急得她滿心所想的，盡是要如何讓公主進食的事，可是儘管傾全副精力所做出來的食物，仍引不起公主的興趣，每次只頂多嘗一口就不吃了。

「怎麼樣？」焦急等待的今英一進到水刺間來就拉住崔尙宮問。

「吃了一點就不吃了，還得再加香辛料。」

「可是姑媽，強烈的香辛料只是一時的……」今英想要提出她的看法，卻被崔尙宮打斷。

「雖是一時之計，但因爲摻有增進食慾的藥材在內，只要增加用量的話，就一定會恢復食慾的呀！」

「我認爲她拒食一定有其他的理由。」

「話是這樣沒錯，可是眼前要怎麼辦呢？公主原本就生性害羞，極爲沉默，打從很小的時候開始，就不曾任性耍賴，連做母親的王后娘娘也說無法知道她的內心在想什麼，焦慮得不得了呢！」

「一定有別的什麼理由……」今英依然如此認爲。

「不管怎樣，妳先到醬庫去挖最老的豆瓣醬來，這次得用那個當佐料試試。」

前往醬缸台的今英在那兒碰見了長今，發現她正傾身於比之前還要大上兩倍的醬缸裏，遠看就像是要掉進去的樣子，稍後挺身站直，臉上、手上全都沾到了豆瓣醬，手中還拿了一根沾滿醬料的棒狀物。

「妳在做什麼呀？」今英問道。

「喔，是今英姊啊！」

「妳到底在豆瓣醬缸裏撈什麼東西啊？」

「噢，這個呀，是木炭。」

「木炭？」

「嗯，因爲我納悶木炭是什麼味兒就試吃了，但對它的味道仍不太瞭解，倒是醬料一沾上木炭，第二天早上顏色就會變得不太相同，因此我更想知道醬油、豆瓣醬或醋是怎麼變的，索性把木炭放進去看看會怎麼樣。」

「然後妳每次就都會挨崔尚宮嬤嬤的罵，是吧？」

「嘿嘿，我想我是有點膽大妄爲吧？姊姊也要吃吃看嗎？」

一面這麼說，也不等今英的回答，一面就用手沾了醋塗在唇上，然後覺得很有趣似的咯咯笑，這時候的長今看起來是如此天眞爛漫，但表情一下子又變了，不自覺的舔了下嘴唇，轉爲意外似的高聲說：「喔！醋的雜味兒全都沒了耶！」又說：「這個也嘗嘗看。」豆瓣醬倒是沒有變得不同。

今英看了納悶，也用手便指頭沾了醬油來品嘗一下味道。

這一試，竟試出了驚奇。「這個變得很好吃啊！」

「嗯，我把木炭剖開來看，發現裏頭有很多小洞，或許就是那些小洞吸走了氣味吧，木炭很明顯的具有吸掉醬油雜味的效能呢。」

「或許眞是如此，我們去告訴韓尙宮，其他的醬油缸也放放看吧。」

「嗯。」

輕鬆應聲之後，長今又把大半個身子傾彎到醬油缸裏頭去，在一旁望著她的今英表情複雜，是種並不討厭但也無法理解的神情。

今英忽然心生一念，精神爲之一振地拔腿就跑，水刺間裏最高尙宮、崔尙宮、韓尙宮和閔尙宮正在聚首商討。

「現在只好把所有想得到的方法都拿來試試看了，崔尙宮，什麼都好，就照妳的方式料理；韓尙宮，妳去煮山藥粥，添加促進食欲的陳皮、薏仁、白荳蔻等；閔尚宮，妳把乾的大棗烤了之後磨成粉，紫蘇葉也磨成粉後，一起加入每道食物裏。」

「可是嬷嬷，公主什麼食物都不吃，會吃放進藥材的東西嗎？」

「所以啊，你們說該怎麼辦呢？只好用不同的方法試試看嘛，食材項目是有限的……內醫院明明說這不是病，原本她的心思就比較纖細，再加上容易煩惱一些旁人所不知道的事，這都有可能導致她拒食，所以食材固然要緊，也需在調味上多下工夫，讓她想吃才行。」

「是的，嬷嬷。」

「先是王上和王后，接下來太后娘娘也說不要上餐了，這麼嚴重的事，可怎麼得了？本來公主就是在平時也不吃零食，只吃正餐的不是嗎？現在也沒辦法在米飯上頭撒些粉什麼的……」最高尚宮長嘆一聲，其他尚宮的愁容也就加深一層。

崔尚宮一步跨入調理室，今英也跟著進來，一臉急切的說：「嬷嬷，這次的餐食請交給我負責吧！」

「怎麼？妳有什麼妙方嗎？」

今英堅持著不說，唯有眼睛一眨不眨地專注凝視著崔尚宮，表情十分眞摯懇切，最後崔尚宮終於抱持著盡人事、聽天命的心情相信了她。

餐食是由崔尙宮親手端上的，臉蛋消瘦的孝惠公主坐著，前面有眼眸擔憂，一臉焦灼的至密尙宮和娱姆尙宮，並立的提調尙宮和常勤內侍則以犀利的眼神打量著餐食。內侍一般分爲出入勤和常勤兩種，住在宮外早晚進出的叫出入勤內侍，而在宮中吃住的內侍叫做常勤內侍。

至密尙宮掀開桌巾，一看盤中就只有蟹醬跟醬菜，馬上對常勤內侍大聲喝叱：

「這到底是什麼啊？」

「雖說爲增進食慾特別調理食物也不吃，但怎麼會上這麼隨便的餐食呢?!」

提調尙宮也出面表示不滿，但最高尙宮沉吟了一下，卻以破釜沉舟般的斷然口氣稟報：「小的們惶恐，可是還是請公主吃一湯匙粥看看吧！」

「這種大逆不敬的東西也敢端上來，妳看看！立刻拿下去重新做過！」

可是孝惠公主不顧這些人的口舌相爭，聞了一下味道後就拿起湯匙來舀粥，一匙、兩匙、三匙……，娱姆尙宮緊張的數著，公主並沒有放下湯匙的意味，慢慢一口一口的吃了。

「公主啊！現在吃得下了嗎？」

娱姆尙宮放心之餘，不禁哽咽出聲，公主淺淺一笑後點點頭，環繞在身邊侍候的眾人一個個放鬆下來，吐露了欣慰之言。

「這樣便吃得下啦，可否明示這段期間是何緣由，令公主焦急掛心呢？」

「事實上……」

「是，公主，請明示。」

「其實是因爲這粥沒有雜味。」

眾人聞言均偏側著頭不甚明白，唯有最高尚宮嚥下到口的「哎呀」，露出恍然大悟的表情。

「因爲上次下的雨，讓糧食倉浸了水，雖經收拾，然而終究造成春秋換季時節口味的不對，味覺敏銳的公主可能也因而傷了脾胃。」

聽到這話，公主笑了。

「最高尚宮的話對嗎？」

但公主依然只是微笑而已。

「不對的氣味如此傷害脾胃的話，公主怎麼不說啊？」

「父王都沒說什麼的餐食，我怎麼能夠……」

「噢，公主……」公主的善良體貼讓媬姆尚宮掉下淚來，恭彎著上身對她行禮致敬。

解決了這樁大事後，當晚宮女們就聚集在食膳間用餐，這一向費盡心思的她們解開愁眉，享受著得來不易的輕鬆。席上最高尙宮環視眾宮女的眼神亦變得溫柔慈愛了。

「這次事件乃是因爲脾胃特別嬌弱的小公主拒吃有雜味的食物所引起的，可以說是誰也料想不到的原因，幸得崔尙宮明快的解決，請問到底是用什麼方法除去了飯中的雜味呢？」

「不是啦，解決了問題的人不是我，是今英！」崔尙宮毫不隱瞞是侄女的功勞。

「哦，是嗎？究竟是用什麼祕訣啊？」

「木炭。」今英答道。

「木炭？」

「是的，放進木炭後，飯中的雜味就完全消失了。」

「哦？那這個辦法又是怎麼想出來的呢？」

「是看到長今把木炭放進醬油缸裏去除了雜味之後想到的辦法。」

「在醬油中放木炭？」

「是的，嬤嬤，長今把木炭放進了醬油缸中，結果不僅去除了雜味，醬油的味道也變得很好。」

「好，好，妳們做得好，我今天好高興。大家可要以今英和長今做爲榜樣，希望各位都能夠爲了做出最好的料理而不斷努力。」

最高尙宮滿意的樣子，讓今英和長今對看一眼後笑了，但崔尙宮和韓尙宮則眼光一相觸，就急忙把頭轉開，兩對同儕的反應形成強烈的對比。

第六章　緣

春陽燦爛，隨著無需約定，時候一到就會翩然來到的季節更迭，長今也慢慢長大成人，生角侍的生活一過八年。庭院裏的白木蓮樹從最頂端的樹枝開始，朵朵花苞舒展出片片的花瓣，但就連那端莊之姿也無法與長今相比。

國王的壽辰就快到了，由於明朝派遣來祝賀的使節團抵達，使得當初原來只想簡單隆重舉行的計畫不得不大幅修改。近來朝廷裏總是擔心明朝會以當今王上以政變取得王位為藉口，祕密探查朝廷有無錯失，因此，此次有使節團參加的生辰宴的準備，便成別具意義，必須精心策畫與準備的大事。

最高尚宮把尚宮以下所有的宮女和生角侍全部聚集到食膳間，傳送生辰宴儀軌。

所謂的儀軌指的是王室或國家重要活動的整理紀錄。每當宮中舉行宴會之際，便另外任命進宴都監，計畫與指揮所有儀典的進行。他會事先計畫好進宴時所需要的一切內容，並將任務分派下去，此份等於是宴會計畫表的文書便稱為「進宴儀軌」。裏頭不只對於飲食的種類與數量有所規定，連參加者的臨時處所要蓋幾間，另外放置爲軍官慰勞品的庫房共有幾間等等，均有詳細的紀錄。

仔細看過一次儀軌的崔尚宮突然雙目圓睜，轉而面對最高尚宮。

「此次生辰宴中有進奉金雞嗎？」

「什麼是金雞？」

韓尚宮聽了也露出嚇了一跳的表情。

「這是在大國的四川省才有的珍罕之物，甚至有長生不老之食效一說，連當年的秦始皇也十分喜愛食用。」

「聽說崔尚宮曾經親手料理過這道菜，是眞的嗎？」最高尚宮問道。

「是的，因兄長與大國有往來之便，所以曾經看過兩、三次，但親手料理的經驗只有那麼一次。」

「此次的金雞是大國皇帝陛下直接透過使臣送來的禮物，因此，此番殿下的生辰宴菜餚的準備與使臣的接待不得有一絲疏忽。主菜金雞由崔尚宮負責處理，今英則從旁協助，務求烹調出最美味的料理。」

今英眼睛發亮充滿了信心，而長今也只能用羨慕的眼光看著意氣風發的她。

吃完晚餐，宮女們一群群聚集在水刺間前廣場上，聊著即將來臨的生辰進宴。

已經好幾年沒有舉行過這樣的進宴了，而且現在又是春天，櫻花樹枝上纍纍的花瓣搖曳生姿，每當春風輕輕拂過，飄落的花瓣好似細雨紛飛，令人頓生如夢似幻之感。這種春夜的情趣，即使心中沒有思慕的人，看了之後也會忍不住開始沉浸在情思盪漾的漩渦裏。只有調方一味發洩著心中不滿的怨氣。

「這簡直就是錦上添花嘛。我當宮女五年了，都只是做些燉湯之類的中饌宮女，而她連宮女的儀式都還沒通過，憑什麼可以擔任王上生辰宴的助手……。」

令路也不知看人臉色的便從旁插嘴，近乎挑釁的說：「那調方姐也立些功勞來看啊。」

「妳說這什麼風涼話！想要立功勞也得先要給我們機會啊，連機會都沒有，還有什麼好說的。」

這些話全被剛好從旁經過的韓尚宮聽在耳裏，便冷冷回道：「功勞不是等機會來的時候才能立，只要眞有實力的話，機會自然就會來，來時也才能把握。」

調方嚇了一跳後退一步，但同在一起的閔尚宮也是一臉的不滿表情接下去說：「但是，這次的金雞料理還不是又叫料理過的人去做，如此一來，其他何時才會有機會累積經驗啊？」

「準備王上的御膳不就是給妳們有機會累積經驗的嗎？怎麼都不想想要好好的

努力，反而浪費時間去打擊別人呢？」

韓尚宮毫不掩飾嫌惡的表情轉身離開，她是應最高尚宮的召喚，湊巧路過而聽到了調方的埋怨。

「我是想叫妳不要傷心，才要妳過來一趟的。」

最高尚宮沒頭沒尾，開口就說了這麼一句話，韓尚宮不太明白，也只得維持沉默。

於是她再往下說：「我是說金雞料理啊。就算妳沒有表現出來，我也知道妳心裏覺得很鬱悶吧？」

本以爲最高尚宮是要說什麼，原來是隱約察覺，想要探知韓尚宮內心的想法。

「您很清楚我的個性，怎麼還會說些覺不覺得鬱悶之類的話呢？」

但韓尚宮的聲音裏卻不自覺地流露出悶悶不樂的情緒。

「知道啦，我知道啦。妳果然是個不能隨意開玩笑的人。」

韓尚宮已經一副快要生氣的模樣，呼吸顯得有些急促，卻不知道最高尚宮在高興什麼，居然爆出笑聲來。

「其實吶，提調尚宮嬤嬤說，太平館的那些尚宮她不管怎樣都無法信任，所以交代把妳派過去那兒，盯著使臣們的飲食接待，絕對不能有任何疏失。」
最高尚宮斂去微笑，正色的說完，韓尚宮什麼也沒說，只是點點頭便走了出去，然而看著她離去的背影，最高尚宮的眼裏卻滿載信任。
司饔院前廣場上擠滿了載運食材的大車，四輪拉車及手推車的，幾乎沒有剩多少可以走動的空間。司饔院在朝鮮朝隸屬於官衙，爲專門負責宮中飲食的官廳，也負責在全國各地設置魚所，將捕捉到的生鮮魚類供應宮中所需。
此時司饔院的朴富謙正將金雞交給等著的崔尚宮，還不忘再三交代。金雞放在特製的巨大鳥籠裏，眼珠子不停的轉動著。
「這可是無法估價的貴重禮品，務必要好好的看管啊。」
接過金雞的崔尚宮好像捧著神主牌位一般的愼重，緩緩的走向飼育場。王宮的飼育場裏養著花鹿、捲毛狗、雞、獾等等，大都是從國外來的各類奇禽異獸。
「我要去找料理金雞用的材料，馬上就得出宮。從現在開始到進宴日當天早上爲止，妳得好好地看管金雞，知道嗎?」崔尚宮吩咐今英。
「謹記在心，請嬤嬤不用掛慮，平安歸來。」
崔尚宮離開後，今英想去取水過來給牠喝而暫時離開了一下，不料回來一看，金雞竟已不見了蹤影，嚇得今英驚慌失措，面無血色，手中的水瓢立時掉在地上滾落一邊。仔細一看才發現金雞籠子的門開著，掛鎖掉落不見，似乎被人給偷走了。

從飼育場四周到太后殿、東宮殿等各處殿閣全都翻遍了，就連偏殿也仔細的找過，還是不見金雞的蹤影。後苑裏也遍尋不著金雞，只有金光四射的太陽曬得人暈頭轉向。沿著王宮的圍牆走下去，打起精神來看見了下水道。橋下挖出圓形通道來讓水流過，水道蓋中間好像有什麼東西在動。

今英心想著那會不會是金雞，便往那個方向走下一步，正好另一邊也有人挺直原本彎曲的脊背，兩人不約而同的伸手摀住自己的嘴巴，掩蓋差點破口而出的驚叫聲，那人是長今。

「嚇我一跳，今英姊來這裏做什麼啊？」等到被嚇得砰砰跳的心臟稍微緩和下來以後，長今拿開手埋怨著。

「嗯，沒什麼事啊……」今英掩飾著心頭的慌亂，反問她道：「倒是妳，在這裏幹嘛啊？」

「我來找作花餅的花瓣，剛才正專心在看櫻花花瓣飄落在水面上的樣子。」

「後苑是禁止出入的地方啊。」

今英用好似自己擁有特權般的口氣丟出這句話後，卻一副快要踉蹌跌倒的樣子，趕緊坐下來。而長今笑得一臉天眞。

其實，長今是看到飄落水面的櫻花花瓣時，憶起了與父親一起看過紫薇花花瓣飄落在自家門前小溪中的往事。

「花期很長，所以又叫做百日紅；輕輕撫摸枝幹的話，葉片也會跟著動，所以也叫做怕癢樹哦。」

父親當時還會詳細解釋爲什麼樹會有三種名稱的理由；並說：妳呢，永遠叫做長今，名字只有一個，所以不管妳是白丁還是中人，妳叫做徐長今的事實永遠不會改變；父親用他低沉的嗓音說。再過不久，夏天也會降臨如今大半是棄置的空屋與鍛鐵場吧，就像那天一樣，飄落水面的紫薇花花瓣也會從家門前流過。

長今想著父親，今英想著金雞，兩人暫時都忘了自己此刻身負的任務，各自沉浸在思慮裏，之後先回過神來的是長今。

「對了，今英姊來這裏做什麼呢？」

今英躊躇了好半晌，最後終於對長今吐露實情，聽了事情經過以後，長今立刻露出一副理所當然要幫助今英的樣子。

「剛好韓尙宮嬤嬤去了太平館，我陪妳一起出去吧。照顧過我的叔叔是個待令熟手，一定能夠告訴我們如何再找到一隻金雞的辦法。」

「拜託我伯父的話，也一定會想辦法幫我找一隻來……可是沒有腰牌私自出宮去，被發現的話，妳我兩人可就會被趕出宮去的啊。」

「光是金雞不見了這件事，就足以讓今英姊被趕出宮去了。」

聽起來是那麼回事沒錯，今英一臉難堪，抬頭看了看王宮圍牆，反正翻過這面石牆就到宮外了。

「而且，金雞不僅僅只是王上生辰宴上的主菜材料，還是大國皇帝陛下的禮物啊！金雞不見不只是今英姊一個人的問題，水刺間全體宮女……不，不止，還可能牽涉到國家安危的問題呢。快走吧！」

長今也不管今英的回答是什麼，逕自起身朝她伸出了手。但今英卻不敢貿然握住那隻手，躊躇了半天，反倒是長今等不下去了，催促今英。

「沒時間讓妳多想了啦。到底要不要去？」

長今已經轉身面對王宮圍牆的方向，今英看她如此終於也受到鼓舞，跟著站起身來。

經過一番曲折，兩人終於到達崔判述的家。不巧崔判述正好外出。管家看到今英進來，整個人彷遭雷擊似地嚇了一大跳，連忙將兩人帶到客房說話。

「東來商人中有一位請求與大人交易，大人遂外出去和他見面，出門前曾交代說今晚酒宴會持續到很晚。」

「這下眞的糟了，我又不能逗留太久，等和伯父見了面，如果今晚還是沒法買到的話，我就要被趕出宮了。」

「難道……」管家神色一震驚問：「小姐，您該不會是沒有腰牌就擅自出宮了吧？」

「跟你說現在不是腰牌的問題，還問那麼多幹嘛，是要買隻金雞啊，買隻金雞！」金英氣急敗壞的說。

「宮女一旦進了宮，不是要等死了才能出宮的啊。」

「那個我會不知道，還需要你來教我嗎？反正擅自出宮和弄丟使臣送來的金雞罪都差不多重。反而是遺失金雞可能會造成水刺間全體，甚至國家朝廷的紛擾。」

「事情眞的那麼嚴重的話，就由小的去買金雞，請小姐就此回宮去吧。」

「不行！我一定要親手帶回去。」

「就算現在出去找，天色也開始昏暗了，夜裏要到哪裏去買呢？無論如何，小姐也是得在府中等待才行，絕對不可以外出。」

「那你快點，不管怎樣，你一定要買到金雞回來才行。」

今英焦急地來回踱步，連在一旁旁觀的長今也覺得腳痠。

「今英姐，反正今天晚上沒法買到，留在這裏也不是辦法。我去去德九叔家就回來。」

「那裏會有辦法嗎？」

「德九叔認識一、兩位買賣特殊食材的商人，平常又專門負責王上的藥膳。比起只拜託管家一個人，說不定那裏還比較保險些，妳說是不是？」

「那最晚明天酉時前要趕回來才行，如果戌時以後沒回到處所的話，就會被處罰了。」

今英從身上的錦囊中掏出銅錢來交給長今，長今一收好錢，便開始飛快的往外跑。

「長今啊！」

正要打開大門時，忽然聽到急切的呼喚，回頭一看，發現崔府後院的槐樹長得高壯，一路越過瓦片屋頂，直往天邊，今英就襯著那樣的背景，靜止不動的看著長今。

「謝謝！」她又大聲說。

長今只是笑了笑，什麼也沒說就從大門出去了。

「我今晚腰好像有點痛……」

德九抓緊腰帶在房裏踱來踱去，可是看他老是把背脊貼靠在牆角的樣子，又不像是腰痛的人，感覺上好得很。

「前天說頭痛，昨天說腳痛，今天又變成腰痛啦？你那副軀殼到底有沒有哪一天是全部好好的啊？」

「所以我說啊……」

「叫你做點事，你每晚都找藉口，出去收酒錢又塞進自己口袋，如果連這件事都想賴掉不做的話，那還算是人家當家的老公嗎？」

「啊，誰想賴啊？跟妳說我是眞的腰痛嘛。」

「人家不管啦，今天就算你的腰斷掉了，頭破掉了，人家也要啦，要啦。」

「妳這女人眞是，別的時候妳不知道也就算了，可是現在我腰痛啊，要怎麼辦事？」

「那你就忍耐啊。反正又不是『那裏』痛，不是嗎？」

兩個人動手動腳拉扯了半天，好不容易解開了腰帶，德九活像隻被人驚嚇到的石蟹，四肢縮得緊緊的。

「喂、喂，男人也是有感覺的啊，妳叫我只是隨隨便便動動那裏，那我算什麼？」

「不管怎樣，我今晚天一定要啦！人家只有在你叫我搓背時才看得到自己丈夫沒穿衣服的樣子，難道要我幫你脫嗎？」

「知……知道了，我脫，我脫就是了，娘子妳就去把燈吹熄吧。」

「幹嘛要吹熄啊？都這把年紀了，難道還會害臊嗎？」

嘴裏罵歸罵，可能也覺得丈夫這樣更令人憐愛吧，德九的妻子咧嘴笑開懷，迅速起身，卻在此時突然聽到外面有人呼喚德九的聲音。

「德九叔，是我，是我，是長今來了。」

德九趕緊推開自己的老婆，只穿著長棉襪就跑了出來。

「長今啊，唉唷唷，眞的是長今啊，眞高興看到妳。」

長今朝著面露喜色的德九跑過去。

「您過得還好吧？」

「還好、還好。我進宮的時候還遠遠的偷看過妳哦，只是總無法靠近一點。唉唷唷，我們長今可也女大十八變啦，快進來吧。」

長今被德九推著進了房間，只見德九的妻子背對他們坐著，第一句話就像喃喃自語的埋怨。

「早不來、晚不來，偏挑這個時候來。就算是出宮休假也不該是在這個時候啊！是被趕出來了嗎？」

「說得也是，」德九像是受到提點了一樣問道：「不會是發生了什麼事吧？」

長今遂把事情源源本本的說了一次，問是否有辦法買到金雞，德九突然從位子上跳了起來。

「不得了啦，這事糟糕囉。」

「我說啊，妳還是趁被發現之前趕緊回宮去吧！就算眞的被從宮裏趕出來，我們也沒有辦法再幫妳的忙啦。」德九的妻子意見一向比較多。

「我也是不得已的啊！明天以前一定要買到金雞，再和今英會合一起回去才行。」

「我知道了。反正妳都已經出來了，今晚就住在這裏，明天再跟我一起去雉雞廛找找看吧。」德九最後還是動了憐憫之心。

「謝謝您，我就知道如果是德九叔的話，一定有辦法的。」

「唉唷喂啊，大人小孩都一樣，該做的事不做，老是管人家的閒事。」

德九的妻子揮舞雙臂，雙眼圓睜，瞪得德九嚇了一跳，竟躲到長今身後去了。

第二天天還沒亮，長今就和德九抵達雉雞廛了。雉雞廛就是販賣雉雞或雞的店鋪，德九隨即提著黃澄澄的公雞過來，說是金雞，遞給了長今。

「德九叔，金雞不是雞啊，是雉雞啦。」

「金雞是雉雞啊？眞是，怎麼不早說。」

然後又折回去找店主人，聽到的話卻讓人更加爲之焦灼。

「說不是這個，有沒有金色的雉雞啊？」

「金色的雉雞？」店主人反問：「什麼東西啊？」

「就是金雞，金雞呀。」

「金雞？一開始就該這麼說，幹嘛囉哩巴嗦的說要找什麼金色的雞，找什麼……」

聽起來好像是知道的樣子，於是長今來到店主人身邊。

「您知道金雞嗎？」

「看是看過，但那種東西根本不會進到我們雉雞廛來。與大國交易的灣商如果有運進兩、三隻的話，也會立刻被貴族世家來的僕人買走，換句話說，就是直接交易啊，我也只在松坡渡口灣商的船進來時看過而已。」

「長今啊！那準成。今天正好是松坡渡口灣商商船進來的日子……」德九說。

「眞的嗎？」長今面露喜色，趕緊往松坡渡口的方向走。

擠滿商人與行人的渡口也瀰漫著春天柔和的氣息。雖然才黎明時分，江風徐徐，但水貨集散地松坡渡口是全國性的常設市集，以數一數二的松坡市場為代表，交易熱絡。商船往來於蠶室之間，運送漢陽人們的薪材。

站在松坡市場入口的長今，只能靜待德九回來，然而去打聽船進渡口時間的德九卻帶著頹喪的表情回來。

「說要到申時船才會進來。」

「可是不管發生了什麼天大地大的事，我都得在酉時前趕回去才行。」長今聞言大急。

「我看那個時間船大概也快停靠了，不妨之前先跟商人碰個面，想辦法讓商品一到就馬上交給我們，這樣妳只要拿了就可以走。」德九想出辦法來說。

雖然事情不像說的那麼簡單，但若連對這個都不存有希望的話，恐怕就也沒有其他的方法可想了。

「就像我一向說的，想要讓商人照我們的意思去做的話，只要往他嘴裏灌幾斗酒就成啦，妳說對不對？」

「啊，是啊！」

長今明白德九的意思，立刻數了數銅錢奉上，德九則連什麼時候回來都沒說清楚，拿到錢後就高高興興想跑開。

長今趕緊喚住他，「德九叔，絕對不能晚過今天噢，知道嗎？」

「當然，當然，這妳就不要擔心啦，就安心在這裏等我的好消息。」

不知怎麼的，心中始終有點不安，但事已至此，長今也只能試著相信德九一回了。

等待的時間裏，也沒別的事情可做，長今便開始在市場到處閒逛。就這樣信步來到撐了遮陽棚的雜貨店前面，眼光被圖畫與書籍吸引過去。一陣涼爽隨著遮蔭過來，長今往旁邊一看，原來是個眼神不凡的女人漸漸靠了過來，長今的眼神方與那女人的接觸，便又害羞的回到圖畫上去，完全沒有發現此時一名戴著笠帽的男子快速經過，塞給那女人一個像是紙條的東西，旋即離去，不見蹤影。

長今在市場裏逛了好一會兒，覺得有點累了，腳也有點痠，便在小山丘入口的亭子裏稍事休息。從這個沒什麼人來往的悠閒地方，可以一眼看到渡口和漢江，可是長今坐在裏面才稍稍喘了口氣，兩名男子便悄聲迫近，而且一人一邊抓住長今的手臂就往外拖。

長今幾乎還來不及反抗，便被拖進蓊鬱的松林裏。

「把藏起來的東西交出來。」

沒頭沒尾冒出來的一句話讓長今整個愣住。接著一個男子拿掉剛才塞住長今嘴巴的布團，窒悶的呼吸才變得比較順暢一些。

「你們在說……說什……什麼啊？藏什麼東西，我不知道啊。」長今結巴的辯白道。

「在我搜妳這賤人身上之前，快交出來！」

聽到說要搜身，讓長今變得膽怯。

「請不要這樣，我……我什麼也沒拿，什麼也沒藏啊。」

「妳這賤人……」

突然感覺有東西架上脖子，一陣冰涼，眼睛自然的往下一看，竟然是把刀！長今吃驚的猛往後退，但刀刃卻又立刻貼了過來。

「不是那個女人！」

瞬間傳來的聲音立時將長今從死亡的門檻前救了回來。

「是剛才站在她旁邊穿藍色裙子的女人！」

原先的兩名男子慌慌張張地收起刀來，發號施令的人走近長今，雖然頭戴戰笠，但下身穿的卻是世族大家們常穿的平凡長褲。

「那個女子正在渡口想要搭船，快追過去！」

話是對著男子們說的，但眼睛卻緊盯住長今。

「失禮了，沒有哪裏受傷吧？」

長今正努力平抑全身的顫抖，也無暇回答，於是那名男子在深深低頭為禮後，就跟著先行離開的兩名男子身後消失無蹤。

德九幸運地買到金雞回來，長今接過了金雞，倉促道謝之後，便忙著趕回崔府去。從市場出來，在快接近山路的瞬間，突然有鏗鏘的金屬撞擊聲傳入耳中，心裏納悶著這回又是什麼事情啊，便想要趕緊離開那裏，卻在松林枝椏間隱約看到人影，隨即消失。彷彿在飛，令人無法區分到底是人是鬼。

「倭寇密探！還不快快俯首就擒！」

長今聽了心跳加速，不只是因為內容驚人，而是因為喝令和剛才危急時救了自己的男子聲音相似。長今因而壓不住滿心的好奇，伸長了脖子偷看，發現也用不著看多遠，幾乎是一眼便瞧見前方樹林之間有幾名持刀的男人。

雙方各有四人，正猛烈的互相攻擊，刀與刀的撞擊聲清晰可聞，很快就演變成激烈廝殺，到最後雙方都只剩一人，一邊是頭戴笠帽的男子，一邊則是救了長今的那名男子。

雖然心裏想著得趕快提了金雞去找今英會合，但長今就是沒有辦法一走了之，就在她猶豫不決當中，男子已打倒了戴笠帽的人，並從他身上找到了什麼東西，打開來看了一下，因爲這樣暫時失去警覺，以至於沒留意到如旋風般出現的一個影子。長今發現那影子正是穿藍裙女子的同時，她已持短刀刺向男子，匕首精準的插入男子的背，女人趁機從他手上搶走地圖，再度像風一樣消失無蹤。

長今趕過去時，男子已經失去了知覺，趴倒的位置也流了滿地鮮血。長今簡直不知如何是好，全身發抖，但眼前情況危急，最後她終於下定決心，用顫抖的十指握住了短刀。「一口氣就得拔起來才行！」她心中只有這個念頭，於是雙眼一閉便用力一拔，那一下，男子的身體也跟著往上一拱，然後再度落地。

「啊！啊！」

被拔刀出來時的感覺嚇到的長今發出慘叫聲，反射性的拋掉手上的短刀，而血彷彿就在這時找到了出孔一樣，更加猖狂的洶湧冒出，情急之下，長今想也不及多想的便撕裂襯裙，反正先止血再說，不過她同時也不停地往四周張望，像是在尋找什麼東西，但在可見的範圍裏並沒有看見的樣子，既然周遭都找不著，只好到遠一點的地方去看看。

「酉時以前……酉時以前……」一邊找，長今已經一邊不自覺的喃喃自語起來。

幸好在陽光普照的大石頭上看到了尋找的東西，那是比黃瓜散發出更濃黃瓜味道的黃瓜草（地榆），雖然還沒有開花，但具有良好止血效果的莖葉已經長齊。長今兩手能拿多少就拔多少的跑回男子倒臥的地方，血腥味濃烈。長今一面擔心著金雞悶久了會不會窒息，一面又想無論如何，先救人要緊。

急著要搗爛藥草，竟連自己的手背也跟著遭殃搗到。

「酉時、酉時、酉時……」

長今像失神的人一般反覆的在口裏唸著，卻沒停下搗碎藥草的手勢。等把搗爛的藥草小心的敷在傷口上以後，再用撕下的襯裙一層層緊緊的包紮住，連三色流蘇垂飾掉落地上也沒有注意到。

完成了急救處理後，長今還把了把脈，如果附近有同伴及時尋找過來的話，或許就有救了。問題是要她放著一個快死的人不管，就這樣離開，長今實在邁不開腳步，可是如果再拖延下去，自己恐怕也要完蛋，兩相權衡之下，也只能再次提起金雞，頭也不回的飛奔起來，無奈今英已經離開崔判述的家，不在了。

「哎啊，您怎麼現在才來呢？崔尚宮嬤嬤和今英小姐等得有多焦急，您知道嗎？」

從管家嘴裏聽到崔尙宮三個字，要比得知今英已經離開更讓長今震撼。

「崔尙宮嬤嬤來過了嗎？」

「聽說是兩位偷偷出宮的事情被發現了，所以嬤嬤出宮來把堅持絕對不要一個人回去的今英小姐給強制帶走了。」

「結果還是被發現了。」長今喃喃的說，有種前功盡棄的失落感，不過仍不忘問道：「那金雞呢？」

「我去買了一隻送上去了。」

「原來如此。」

想說幸好如此，卻又覺得自己先前的一番努力變成泡影，不知怎地感到沮喪至極。

「請您不要太灰心，現在應該還不算太遲，您就快點追上去看看吧？她們兩位也才離開沒多久。」

管家話還沒說完，長今已經開始往外跑，只不過因爲提著金雞的關係，實在無法全速前進，但也不能丟下金雞不管呀。

敦化門前，崔尙宮正拿出腰牌來給守門的士兵查驗，跟在後面的今英到處張望，正巧與咬緊牙關跑來的長今視線相接，但很快的，今英看到長今而驚喜的表情即被惋惜與抱歉所取代，同時被崔尙宮扣住手臂給強拉走。

長今只能束手無策的眼睜睜看著今英被半強制的拉走，一再回頭看的今英身影漸漸消失在視野當中。彷彿所有的東西都跟著那樣消失不見似的。

「從以前開始，宮女們的守則就要比國法更加嚴格，妳才只不過是個生角侍，怎麼就敢翻越王宮圍牆到外面去遊盪呢？」

勃然大怒的提調尙宮大聲咆哮，自最高尙宮起的水刺間所有尙宮全都低頭坐著，臉上不約而同的露出犯錯的表情。怎麼就那麼巧，在生辰宴準備得一陣忙亂之際，長今被內禁衛軍官直接帶了過來，才會引起掀然大波。否則就能在最高尙宮那裏解決掉，不會鬧開了。

「妳看妳是多麼輕忽對生角侍的教育，才會發生這種事情啊！」

在誰都不敢多說一句話的情況下，韓尙宮的臉痛苦的扭曲著。

「頑劣、可惡，聽好！最高尙宮處以減俸三個月，指導帶領長今的韓尙宮與負責水刺間教育的崔尙宮，職級由上饌尙宮降爲中饌尙宮；同時生角侍長今除了接受內禁衛的處罰外，即刻起免除生角侍職務，等明天天一亮，杖打二十板後，趕出宮去！」

「嬷嬷！」韓尚宮的聲音已瀕臨痛哭的邊緣。

「她還只是個生角侍，因聽到至親好友生命危急的消息而失去判斷力，才會如此輕舉妄動。就這麼一次，請您開恩。」

「閉嘴！我不想連妳一起趕出去，快退下去吧！」

怕被提調尚宮的怒氣掃及，誰也不敢再多說一句話，但也不敢就這樣退下去，全都不安的不知該如何是好。

「妳們想幹什麼啊？真的想被趕出宮去嗎？」

「……」眾人無語。

「看了就生氣，全都給我退下去！」

就算再繼續留下來，看來提調尚宮也不會改變心意的樣子，從勤務室出來的尚宮們個個雙肩頹傾，神情沮喪。

最高尚宮馬上往長值內侍的勤務室走去，韓尚宮茫然的看著她大幅擺動雙手，快步遠去的背影。

「我也是剛剛才接獲消息，這是提調尚宮下的命令，我也沒有辦法啊，這畢竟是隸屬於宮女的事務。」長值內侍說道。

「但是，您不也管理水刺間的事務嗎？那孩子確實是有緊急狀況才會這麼做的。」

「我瞭解最高尙宮妳想彌補手下宮女過失的心情，但這事件確實是在我權限以外啊。」

「眞是那樣的話，至少內禁衛那邊請您幫幫忙吧，已經被從這裏趕出去，如果還因爲侵入王宮而再次問罪，豈不是太可憐了嗎？請求您至少將那件事給阻擋下來。」

長値內侍只是低頭沉思，不置可否。

「若是該趕出去的話，一定會趕出去，可那孩子爲什麼要關進內禁衛監獄裏再趕出去呢？這樣一定會沒命的，請留給她一條活路好過下去吧。」

「知道了。那件事我會盡量想想辦法的。」

今英也跑去找崔尙宮，向她泣訴求情。

「都是因爲我，才會發生這樣的事情。」

「最高尙宮嬤嬤也會另外處罰妳的。」

「不管什麼樣的處罰我都願意接受，但請救救長今。如果知道事情的整個經過，相信提調尙宮嬤嬤也會改變想法的。」

「那樣的話，且先不論妳擅自出宮的事，難道我瞞著提調尙宮嬤嬤拿到了腰牌，連遺失金雞的事都叫我全部說出來嗎？」

「但是，長今什麼錯都沒有犯，爲什麼只有她一個人受罰啊？」

「的確事實上是因爲妳才發生了所有這些事，但沒有按時回來，就是長今自己該負的責任了。」

這點她倒眞是無話可說，於是一向傲然閃爍的眼裏，開始不停地流下淚來。

「把這件事給忘掉！別想要惹出更大的禍來，閉緊嘴巴，什麼都不要說。牢記我的話，一定要牢牢記住我的話！」

「嬤嬤，求求您……」冷風吹起，對照著冷冷背對坐著的崔尚宮背影，今英明知不可而爲之的呼喊著，終至痛哭失聲。

從內禁衛被放出來以後，長今回到處所，與韓尚宮面對面坐著。熬了一夜，彷彿剛從地獄邊緣轉了一圈回來似的，長今的面容神情均憔悴不堪。

「我必須就此離開嗎？」

「……」

「我眞的得這樣離開王宮嗎？」

「在我還是宮女的時候，有一個好朋友，她就像妳一樣充滿好奇心，多情又善良。後來她因故受罰，在她被趕出宮去的那一天，我卻一點也幫不上忙，一點也幫不上忙。」

韓尙宮沒有淚流的呢喃著，因憐憫、無力感與遺憾而充滿血絲的雙眼，彷彿隨時都會淌下血淚。

「眞的一點也幫不上忙。」

韓尙宮嘴裏一直反覆不停的喃喃自語，令長今想起了母親，心中充滿了哀傷：被趕出宮去的時候，母親的心情是否也和現在的我一樣呢？是不是也充滿了哀傷、茫然，有種完全被拋棄的感覺？

「一點也幫不上忙，一點也……」

就如同當年韓尙宮面對無力解救的朋友，也只能像現在面對她一樣怨嘆自己的無能，獨自呑下血淚？長今只怪自己讓韓尙宮再度嘗到原本不該有的生離痛苦，無法放聲痛哭的宮女心，到底是什麼做的呢？到底要擁有什麼樣的內心，才能成爲宮女呢？

映照在窗紙上黑色的窗櫺紋樣顯露出黎明的曙光，長今起身對韓尙宮行了大禮，低垂著頭，掉落滴滴眼淚，濺濕了地板。

「嬤嬤，我自幼失親，是您將我當成骨肉至親般疼愛，請您一定要保重身子。」

韓尙宮看都不看她一眼，就把門關上，等聽到腳步聲漸行漸遠，她才開始無聲地哭泣，只是走遠的長今已經什麼都不知道。

最高尙宮的處所房門緊閉，長今向著那前門行了一個大禮，而在她身後站著看著這一幕，感嘆不已的水刺間尙宮、宮女，生角侍們，連令路也和以前不一樣，不再有冷嘲熱諷的表情，今英也在沉痛的眾多臉龐裏當中，獨獨看不到不知道躲在哪個角落哭泣的連生身影。

行完禮轉過身來，今英向前一步，春天來了，兩人卻都像站在酷寒風雪當中的樣子。

「都是因爲我。」

「不是啊，沒有按時回來是我自己的不對。」長今反過來安慰今英：「我要走了。」

長今離開了，距離愈來愈大，今英對於自己無情得連長今的手都沒有握一下感到可恥。想伸出手去，但距離已經拉得太大，可恥的感覺越是深刻，今英只能緊緊扣住自己交疊在裙襬上的雙手。

「長今啊！長今！」

突然傳來的叫聲讓所有人都轉回頭去看，看到了乾脆把裙襬拉到膝蓋之上，跌跌撞撞跑來的連生身影，長今也停住了離開的腳步轉過身來。

「長今啊！」

「啊，連生，我以爲會看不到妳，就此離開了呢。」

「啊，長今啊，」連生卻沒空回應她，只顧著說：「叫妳過去茶、茶、茶栽軒。」

「什麼？」

「唉唷，好喘！」好不容易稍微緩口氣來，才清楚的說：「提調尙宮嬤嬤說叫妳去茶栽軒。」

「什麼是茶栽軒？」

「我也不是很清楚，反正有什麼關係呢？無論如何，就是已經收回了把妳趕出宮去的處分了。」

「妳知不知道爲什麼會突然改變？」長今實在是太訝異了。

「是我們最高尙宮嬤嬤和韓尙宮嬤嬤過去泣訴哀求的。請求以後三年都不領俸祿來換取不要趕妳走。」

長今帶著不敢相信的表情茫然佇立，最高尙宮與韓尙宮從提調尙宮的勤務室那邊走過來，兩位尙宮均雙眼疲倦，眼窩凹陷。

最高尙宮看也不看長今一眼逕自走回自己的處所，韓尙宮則走過來，雙眼紅腫，看得長今的淚水又忍不住奪眶而出。

「怎麼搞的突然又哭起來？」

「因爲我……因爲我，嬷嬷您……」

「不要再說了！總比從此被趕出宮去好啊。只是茶栽軒對一個宮女來說，等於是被放逐了。就算這樣，妳也願意去嗎？」

「是的！我願意去。」

「而且理所當然的也沒有辦法參加將在不久以後舉行的御膳比賽，無法通過御膳比賽就不能成爲宮人，這妳也知道的吧？」

「是的。」

「對水刺間宮女而言，這樣已差不多算是走到盡頭了！所以，是要毅然決然的放棄，還是到了那裏之後，也盡全力做好自己份內的工作，就看妳怎麼抉擇了。這就是我這回給妳的課題。」

眞是困難的課題啊！然而可以不用當場被趕出宮去，對目前的長今而言，這就夠了。

「那馬上過去吧！」

一經催促，原本邁不開的腳步便開始向前移動，連生突然跟了過來。

「長今，妳一定要回來喔，知道嗎？」

然而長今什麼承諾也沒法給，只能緊緊握了一下連生的手，就放開向前走了。

連生像圖騰一樣佇立著，兩人之間的距離越拉越大，長今漸漸走遠了。春天早晨的陽光燦爛又孤獨，在照得溫暖的大地上拉出長今的影子，隔一段距離是連生依依難捨的影子，而更遠的地方還有一個影子，那是以眼神相送的今英。

出了敦化門以後，還要走上好一段山路，雖說是屬於王宮的範圍，卻不在圍牆以內，但是因爲地勢較高，可以俯視眺望王宮殿閣的屋頂。

長今無法擺脫鬱悶的心情，一逕看著自己穿的宮鞋尖端低頭前進，沒有注意到對面一位身著內禁衛服的男子正逐漸走近。他的肩膀上的傷口還包紮著，是長今急救回來的那條生命，但兩人卻因各自沉浸在自己的想法裏擦身而過，並沒有認出對方。

茶栽軒爲緊臨王宮城郭的一塊田地，專門栽植從明朝與俄羅斯進來的昂貴香辛料與藥材種子。雖然當時漢陽城內禁止農事耕種，但只有上繳王宮的蔬菜與藥材種植例外。蔬菜特設內農圃栽種，藥材種子則由茶栽軒管理。

爬過高高的山坡，眼前突然出現一片往下延伸的斜坡田地，直達位於遠方搖搖欲墜的茶栽軒建築爲止。在田埂深厚，一片鮮綠的藥材裏，看得出來其實一半以上是雜草，讓人難以分清是藥材還是雜草，反正是全部茂密地摻雜在一起，光看就覺得一團混亂。

長今重重嘆了口氣，繼續走下去，腳上好像踩著了什麼東西，仔細一看，竟然是人的腿。一個超過五呎的男子躺在田埂之間，四肢大張，呼呼大睡。長今暫且先壓下滿心的厭惡感，抬頭往茶栽軒一看，發現那裏在大白天裏就已經是一片杯盤狼籍兼酒氣衝天。從圍坐在涼床上數名男子脹紅的臉看來，顯然不是才剛開始喝酒的樣子。長今強自撐持，不願流露生澀羞怯，假裝嚴肅的開口問道：「我是從水刺間過來的宮女，請問負責此處的大人在何處？」

「大人？呵呵，大人，很好。來，喝一杯吧，大人。」一名男子語帶戲謔，繼續倒酒，大夥兒瞬間爆笑開來。

「看你們的樣子，像是在這裏工作的工人，怎麼不做事，大白天就發酒瘋呢？」

「怎麼？不給妳酒喝，妳不高興囉？」

「什……什麼？」長今氣到話都說不流暢了。

「不想喝，那妳來替我倒一杯好了。」

「你這無禮的傢伙！我雖然還沒通過宮女儀式，但也是水刺間的生角侍，奴僕階層的工人竟敢要宮女身分的人倒酒！還不快帶我去見判官大人？」

「什麼大人、小人的，我已經三個多月沒見過啦。不要那麼不懂事，要嘛妳就過來一起喝酒，不然就滾回去睡覺算了。」

受到侮辱的長今氣得太陽穴隱隱發疼，只得咬牙忍耐，而看著全身顫抖的長今，男人卻發出嗤笑聲。

「是宮女的話，不去讓王上疼愛，跑來這裏做什麼？」

簡直就是無法共處的一群渾球，長今逃也似的離開，先去找自己的處所再說。那是個在茶栽軒一角用樹幹胡亂支撐，再加蓋屋頂的房間而已，好像一口氣就會被吹倒似的，看起來一點兒也不牢靠，而且裏頭只有一床棉被，用手抹一下便抹開了一層厚厚的灰塵。

嘆了一口氣，再嘆一口氣，耳邊響起韓尚宮的聲音。

「對水刺間宮女而言，這樣已差不多算是走到盡頭了！所以，是要毅然決然的放棄，還是到了那裏之後盡全力做好自己份內的工作，就看妳怎麼抉擇了，這就是我這回給妳的課題。」

長今挽起袖子找著了鐮刀，大踏步往田地裏走去，直走到春陽熾熱照射的田中央，身後跟隨著一堆滿帶嘲謔的眼神。

拔了又拔，拔了又拔，好像怎麼拔都沒個盡頭，光是除草就花了一整天的時間，而且連除好幾天。然而每次第二天去看，總會發現怎麼前一天才拔的草，今天就又都長出來了。長今也不免對雜草旺盛的生命力咋舌。不過就像即便在旱災時也會有大豆收成一般，有時也會從中發現纖細柔弱的藥草，每逢此時，只要在四周再翻找看看，就會看到被拔掉放在一旁的牌子，上面寫著藿香、柴胡、何首烏、石蒜等字眼。又名紅花蒜的石蒜細長的莖枝在扁桃腺的治療上深具療效，長今也曾在白丁村後山挖掘過。但比起藥草，長今更常看到的是醉臥在蔓草間的雲白，一副已乾脆把田地當成午憩場所似的。有一天長今實在看不過去了，拿了一瓢水就直接潑到他的臉上去。

「只不過是個奴僕，怎麼每天不做事，光會發酒瘋、睡大覺啊？」

突然被潑了一臉水的雲白，僅半睜開眼往上看。

「想做事自己去做就好了，幹嘛還要來煩睡著了的人？」

「你說什麼，你這傢伙還不快爬起來，拿鐮刀去除草？」

雲白拿起鐮刀但繼續躺著，隨便一抓一掃，就開始除起身子周圍的草。

「你在幹什麼啊？連藥草都被你拔掉了啊？」

「妳不是叫我拔草嗎？我這不是在拔了嗎？」

長今都快氣結了，但很快的便又因為在剛才清理過的地方看到如蝴蝶般大小，從張開的葉子裏冒出來的幼苗而快步跑過去，從雲白手中搶過鐮刀，接著眼光就完全被抽生嫩黃葉片的幼苗給吸引過去。

「那叫菘菜。」

雲白看著長今充滿興趣的樣子，便順口告訴她植物的名稱。

「菘菜？」

「內臟虛火上升、頭腦昏沉、大解困難時都具有療效，宿醉次日用來解渴是最好的。」

說完雲白就當著長今的面，把看起來很珍貴的幼苗倏地拔起來放進嘴裏吃掉，長今費了好大的勁才壓下想用力朝那嚼得卡滋卡滋響的臉頰打下去的衝動，忍到都可以感覺到自己兩頰抽動的地步。

菘菜在中宗時首度引進，當時才剛開始栽植，是可用作藥材的白菜舊名。

長今沒法打他，也看不下去，只能氣在心頭，突然田地下方傳來上氣不接下氣的聲音叫道：「這裏有人死掉啦！快，快點過來看看啊！」

原本吊兒郎當的雲白一聽到求救聲音，眼神立時為之一變。長今跟著他跑進茶栽軒裏頭，看到做飯的僕人昏倒在地上。雲白連忙跑過去把他的脈，掀開眼皮看，還把嘴巴掰開來檢視。

「把針藥盒拿過來！」

長今不知道這句話是對著自己說的，只是茫然的站在那裏旁觀，於是馬上又被急切的大吼：

「叫妳拿針藥盒過來沒聽到啊？那裏，翻抽屜找找。」

長今找到後趕快拿過去，雲白馬上以熟練的手法開始插針，儘管額頭上冒出一顆顆汗珠，插針的手卻始終準確穩定。再插了幾支針後，也不知經過了多少時間，躺著的僕人即把剛剛吃下的東西都吐了出來。

「這樣就可以了。」

雲白一點也不介意沾到自己衣服上的嘔吐物，隨即扶起僕人，順了順他的背，並叫他：「手動一下看看。」

看過手指動作的樣子，雲白緊繃的表情才緩和下來。

「可以了，已經沒事了，扶到裏面去，來，幫忙一下。」

長今跑來幫忙扶僕人，雲白則一把把旁邊的工人手上的酒瓶搶過來說道：「去煮黃豆，餵他喝黃豆水。」

隨口說出一句話後，就又把酒瓶湊到嘴邊，嘓嘓地大口吞嚥，不知何時又恢復成原來的酒鬼模樣。

「看起來不像是一旁偷看學來的手法……」長今扶著僕人走向房間的時候，不自覺的喃喃而語。

「您不知道嗎？那位是鄭主簿大人啊。」

主簿是正六品官職，絕對不是什麼奴僕階層。

餵過一次黃豆煮水之後，長今再度走出田地去，雲白照例坐在涼床上喝酒，眼神落在田地對面無垠的地平線，顯得孤單淒楚。

「不知道您就是主簿大人，先前我無禮冒犯之處，還請您原諒。」

「那妳以後會聽我的話囉？」

「請大人吩咐。」

「什麼事都不要做。」

「嘎？」長今還以爲自己聽錯了。

「不要把這裏當成很有希望的地方，一直做這做那的。想喝酒，要睡覺，都可以，如果都不喜歡的話，那隨便找個工人打情罵俏也行，就是拜託妳，什麼事都別做，行嗎？」

雲白含糊不清的說完，還猛盯住長今看，眼睛裏滿布血絲。聽了這樣的話，眞不知道該如何回答。

長今從第二天起開始有系統的整理被隨手丟棄的種子，結果意外發現寫著百本（即黃蓍）的種子袋，馬上拿著去找雲白。他還是一樣鬆解了腰帶，四肢大張的以大地爲床酣睡。

「大人。」

雲白根本理都不理，長今沒辦法只好把種子袋湊到他鼻前端去晃了晃。

「這是百本的種子，對吧？」

雲白睜開一邊的眼睛，隨便瞄了一下，以厭煩的語氣說：「對。」

接著猛然坐起身，大聲喝問道：「妳到底想幹什麼？不是叫妳什麼事都不要做嗎？妳全當成是耳邊風啊？」

「我沒辦法那麼做。」

「妳說什麼？」

「不管是我，還是大人，都是食國家俸祿的人，而這俸祿是百姓要我們爲國家做事才給的。」

「妳厲害，有本事得很啊！那麼厲害的話，爲什麼還會被趕出宮來呢？」

「再者，對我來說，如果連這種事都不做，我絕對無法忍受。大人您或許要不抱任何希望才會覺得輕鬆，但我卻一定要把希望寄託在這裏。」

「不要瞧不起人，別以為這裏的每一個人都不曾像妳這樣瘋狂亂來過，只是事後證明全都是一些沒有用的行為，妳要知道，憧憬這些沒有用的夢想，不是懷抱希望，而是咀嚼絕望。」

「就算是那樣，我也要活下去，絕望中至少也有顆種子紮根了，不是嗎？」

「眞是會說好聽的話。好吧！看是要懷抱希望，還是咀嚼絕望，隨妳的便。不過，拜託妳不要再管我。」

長今於是不再多說，沉默的離開那個地方。

長今選了塊地犁田開溝後，將百本種子種下去，按時澆水，等了幾天，並沒有看到有冒芽的跡象，然後，某一天，就在這種沒有發芽的情況下爛掉了。既然播種的方式失敗，長今便改換排種的方式，再試用定點播種，結果全都沒用。播種之後，也試過就那樣放著不管，任由它自生自滅，又或是在上面蓋上薄薄一層土，不然便反其道而行，深深埋入土裏，一樣沒什麼反應。水份呢，也分成澆一點點，或澆很多，或中斷幾天不澆。幾乎各種好肥料都用過，甚至拿自己的尿水來澆。但不管怎麼做，就好像在嘲笑這所有的努力一般，躲在堅硬外殼裏，陷入深深休眠狀態的百本，硬是不肯冒出芽來。

燕山君時代首次引進之後，傾二十年左右之力全心培植，卻都徒勞無功，會這麼盡力是有原因的。百本對人體內外都有很好的藥效，可以說幾乎沒有什麼湯藥內不用它，百本因而沒有什麼固定的行情，只能任由明朝商人高興叫價。

在田溝與田溝之間排排播種之後，再蓋上薄薄的一層土，然後澆上肥料，想想自己到茶栽軒來也已經過了兩個月了。炙熱的太陽總跟著人打轉，曬得人頭昏腦脹。

「停！」

長今提著水桶，一腳正要踏進田埂時，突然雲白大聲喝止，接著他就趴到地上，挖開土壤認眞的觀察，迥異於平時酒鬼的眼神澄澈清明。長今小心翼翼的走過去看雲白眼光停駐的地方，發現有尖尖的綠芽鑽出地面冒出了頭。

「這是……」

一個、兩個工人陸續聚集過來，其中一人忍不住感動地大叫。

「長出來了！百本冒芽了！」

長今的眼淚也不禁奪眶而出，感動的心情大家都一樣，有好一陣子，大夥兒就只是遙望藍天，什麼話也說不出來。

「呃，這邊的雜草拔一拔就可以了嗎？」有人主動問道。

也馬上就有人指出：「你這個人啊，雜草不是這樣拔的啦。」有一、兩個人找來鐮刀，蹲在田溝之間除起草來。還有人捉起水桶就跌跌撞撞往下面跑。狹長蜿蜒的田地另一邊，天空像烽火般，燃出一片火紅。

「我到內資寺去，那裏說還剩很多，就都給我了。」說得有點沒頭沒腦。

雲白把種子袋隨意拋擲似的丟過來，長今則裝做什麼都不知道的樣子，微笑著收下來。

「還有，水刺間一個生角侍問我是不是茶栽軒來的人，便給我這個要我轉達的。」

雲白窸窸窣窣掏出來的東西原來是一本手記，迅速打開來一看，熟悉的筆跡，是連生寫的：

「我每天都去懇求最高尚宮嬤嬤讓妳回來，所有的生角侍全都忙著準備再過不多久就要舉行的御膳比賽。不管今後會變得怎樣，我只想與妳分享，所以我把聽到、學到的抄下來給妳，請不要放棄，好好練習。我會不斷祈求上天，讓妳早日歸來。」

手冊內寫滿密密麻麻的小字還有匆促畫下的草圖。長今感動的把手冊當成連生的臉龐一般，先是輕輕地撫摸，再用嘴親吻，最後整個抱進懷裏哭了起來。

從那天起，不管是在房間裏、田地上或便所裏，長今總是念念有詞的背誦著手冊的內容。百本細苗現在也有手掌般大小了，從遠處看，呈現出一片教人喜悅的蒼翠。

「乾海帶葉的比重要較莖大，帶黑色色澤者爲佳。小黃瓜表面突刺，用手指摸過時，要有痛的感覺，帶有光澤者爲佳。文魚的母魚比公魚鮮嫩，魚鱗按照大小排列的爲公魚。兩手各持一只大蚌，互相敲擊，要聲音通徹透明的才新鮮。茄子蒂部分的刺要會扎手……」

喃喃背誦著往田地走去，突然聽到一名工人氣喘吁吁的叫喚她。

「生角侍，快來看啊！」

急忙飛奔過去一看，不知道是什麼人把百本田故意翻掘破壞掉了。

「我的天啊，是誰做出這樣的事來……」

圍觀的一名工人失魂落魄的喃喃自語。

「就算是在外圍，也緊鄰著王宮，一般老百姓不太可能進得來，看起來也不像是野獸扒挖的……」

「生角侍辛辛苦苦種出芽來的百本種子……到底是哪個天殺的傢伙……」另一

名工人跟著咒罵。

「這種人渣！不要被我逮到，不然我一定好好地修理他！」

但長今只是一臉木然，好像在聽著別人的事情一般。

從內資寺回來的雲白聽到這個消息，也只喪氣的說：「我早就知道會這樣。對人生已沒有希望的人來說，百本根本是沒用的東西啊！」

長今本來一直相信只要雲白知道了，一定會有什麼對策，聽了這樣的話，當真失望至極，只好重新播種，重頭來過了。

長今第二天馬上把被挖掘過的土地整好，再次播種。這次與之前不同，始終有兩、三個人在旁幫忙，終於在下過毛毛雨後幾天，又看到嫩芽一點點的冒出來了。

新芽再度長出來的那天晚上，長今回到處所研讀連生送來的手冊，田地那邊突然傳來奇怪的腳步聲，引得她緊張的豎耳傾聽，意外聽到雲白的聲音。

「出來看看吧。」

男性工人天黑後照例必須離開王宮，雖然茶栽軒是在圍牆之外的地方，但畢竟有王上的女人，也就是具備宮女身分的女人在此，絕無可能同在一地過夜。

長今不明就裡的出去一看，只見一名被綑綁的男人跪在地上，雲白則兩手背在身後，面向田地那一邊，被綑綁的男人竟是共事的工人。

「大人，這是怎麼回事啊？」

「我覺得那種事不會只發生一次，便設了個圈套，結果就捉到這傢伙了。」

長今這才知道自己誤會雲白了，不知道他深思遠慮，先前還暗自埋怨著他。

「為什麼要那麼做，你說。」

長今一方面是生氣，一方面也是好奇的問道，但那名男子只是沉默不答。

「你明知道那是多麼貴重的藥材還下手，一定是有什麼原因吧，不是嗎？」

「我犯了死不足惜的重罪，對不起妳。」

「這不是我要聽的話，快說出你的理由。」長今越說越生氣。

然而男子緊閉雙唇，不管怎麼勸說，就是不肯開口。

「夠了！看來是不打算說出來的樣子。」雲白失去了耐心，對長今說：「明天向判官大人報告後，直接送到義禁府去就成了！夜深了，妳回房去休息吧。」

「不，我也要在這裏……」長今力爭。

「我說回房去！」但雲白斷然拒絕。

那股氣勢非比尋常，長今也不敢再堅持下去，便離開了現場。雲白確定她回房去之後，才悄悄對男子說：

「你悲慘的情況，我很清楚，所以如果是偷挖了拿去賣掉我還能理解，可現在卻是翻土鏟爛，這我就不明白了。到底是誰在背後指使你？」

「我對不起大人。」

「知道，知道，你是很對不起我，嗯，真的很對不起我。」雲白近乎詼諧的，「所以啊，快告訴我你做了什麼對不起我的事，把指使你的人名說出來。」

男人依舊不回答，只有草叢裏的蟲子發出吵雜的聲音。

「本來還想如果你有什麼苦衷的話，我就原諒你，但看來是沒辦法了，只能把你交給判官大人。」

想不到將男子拖去交給判官之後，判官聽過事情的原委，竟不當一回事般只說了一句：「知道了，把人留下，你可以離開了。」

「那是長久以來朝廷一直引頸期盼的珍貴藥材，把那麼珍貴的藥材翻掘破壞掉，應該移交義禁府，仔細查出背後指使的人才對。」

「我已經說我知道了。」

但雲白並不打算就此打住：「還有，生角侍長今努力栽植百本成功的經過，也應該盡速稟報朝廷才對。」

「鄭主簿到茶栽軒多久了？」判官突然話鋒一轉道。

「快五個月了。」

「那麼，一定不知道之前百本發芽成長到這種程度有多少次了吧？雖然說冒出嫩芽，但沒過多久不是爛掉，就是乾掉。才不過剛冒出綠芽就想往上稟告，如果之後失敗的話，那後面的責任要由誰負？還是等確定成長之後再上報不遲。」

聽似態度審慎，但字裏行間卻透露著內有隱情，雲白突然意識到或許判官也是同夥。

「再者，也早過天黑的時刻，你不離開王宮屬地，還逗留在那裏的理由是什麼？你再做這種奇怪的事的話，休怪我公事公辦。」

這算什麼？做賊的喊抓賊。

果然過沒多久就發現判官也有介入此事的事實。雲白接到工人送來判官找他的紙條，依吩咐一過去之後發現那並非勤務室，而是妓院。一看到雲白走進來，判官立刻堆滿一臉謙卑的倒上酒。

「來，先喝一杯吧！鄭主簿喜愛美酒的事，所有的人都知道，不是嗎？」

話是沒錯，雲白一口乾盡，卻不再接受勸酒。判官只好把自己乾了的酒杯倒滿，想開口說些輕鬆話。

「之前聲音大了點，眞是抱歉。我就開門見山的說吧。這次的事情請當做沒發生過吧！」

「不可能。」雲白一口回絕。

「你如果隨便亂說，不只是你，連我的位子也可能不保。像我們這種人，上面人做些什麼，我們是一點兒辦法也沒有的啊。」

「可是，大人，百本的交易向來以天價進行，是用途廣泛的藥材，就連在明朝的價錢也很可觀，不是嗎？」

「哎呀，你這人怎麼這麼不通氣？那只不過是一種藥材，栽植成功與否，對你、對我又有什麼關係呢？」

「可這關係到朝廷與百姓的生活啊！」

「眞是麻煩啊你，難道眞要人家誣賴你和茶栽軒宮女有私情才會懂嗎？」

雲白被這句話堵住了嘴，再堅持下去的話，到時有事的人就不只自己一個人而已了。

「你就照以前那樣喝酒、打混、過日子吧。酒錢不夠的話，我會幫你付的……」

判官滔滔不絕的往下說。

雲白回來後有好幾天的時間都泡在酒缸裏，怎麼問他也不回答，只是一個勁的灌酒，讓長今擔心不已，過了幾天以後，果然就出了事。已經長出的百本種苗竟然全部消失不見。上次不過是被翻掘破壞，這次則是整棵種苗都被挖走。

第二天義禁府都侍與士卒過來將雲白帶走，長今和工人什麼都不知道而慌亂不已，但雲白像早在等待一般，在他們面前自己走向前去接受綑綁。

就連跪在義禁府前廣場了，雲白的態度依然坦蕩。

「你叫賣百本種苗一事是事實吧？」

「是的！」雲白坦承。

「然後到處說是茶栽軒的官吏出來叫賣的？」

「好像是這樣。」

「好像是這樣？」

「我喝醉了，才會做出那樣的事……」雲白推諉著說。

「這麼說，百本眞的栽植成功了？」

「新來的水刺間生角侍徐長今到處試種，不久前才終於冒出了芽。」

「嗯，可是你卻沒有馬上呈報這份功勞，福及老百姓，反而是私自盜賣朝廷的貴重物資對嗎？」

「是的。」

「你這傢伙！身爲人臣，竟然敢作出這樣的事情，還講得如此理直氣壯地？」

「反正長出來了，判官大人也不在意，抓到了破壞田地的小偷交給判官，他也沒有採取任何處置，所以我才會那樣做。只有拿出去賣，全國各地的老百姓才眞正享受得到，不是嗎？」

「你說的這是什麼奇怪的話啊？」

義禁府判官正想好好想清楚這句話時，有人氣喘咻咻推開門進來，正是茶栽軒的判官，他一與雲白視線相接，便狠狠地瞪著他，雲白也不認輸的回瞪過去。

「你來得正好，聽說判官也知道百本栽植成功的事？」義禁府判官率先開口問。

茶栽軒判官被問得嘴巴大張，卻什麼話都說不出來。

「對於判官怠忽職守的罪，我絕不會坐視不管。」於是義禁府判官接下去宣示道。

「事情怎麼會變成這樣？」

司甕院官員的勤務室裏，吳兼護暴跳如雷，因爲不僅過去可以賺取龐大利潤的搖錢樹飛了，要是還被揪出自己在背後操縱，那一切就都完了。朴富謙黑著一張臉，崔判逑只是嘖嘖咋舌。

「秦判官擔心得不知如何是好……」

「在內醫院裏因爲貪杯被趕出來的人啊，怎麼還懂得使那種手段呢？早就該把他的嘴永遠封起來才對！」

「眞是抱歉！」

「好好處理善後，如果我的名字被人提起的話，我就先宰了你，你最好牢記在心。」

同一個時候，長今正在接待工曹與內醫院來訪的官員。

「很好，妳是怎麼栽植成功的啊？」

「是。我知道百本原本是在山裏成長的植物，所以日照太熾烈或水澆太多的話，可能還沒長好就會先爛掉。我已經把栽培法做了詳細的記錄，請大人參考。」

「啊，說妳好，妳做得還眞是好。若非如此，百本價格總是居高不下，而且說漲就漲，民怨難休。託妳的福，工曹也卸下了一個重擔。」

「這是茶栽軒所有工人的功勞。」

「來此之前，我已經和功判大人見過面，向他詳細稟告妳所立下的功勞了。」

「對了，主簿大人會被如何處置呢？」

「這個嘛，因爲義禁府已經弄清楚了他那樣做的本意，所以怎麼可能會判他重罪呢？」

雲白沒一副主簿的模樣，歪歪倒倒呈之字形的朝田地方向回來。雖然吃了一番苦頭，但臉上吊兒郎當的表情卻還是不變。

「您爲什麼要那麼做呢？判官大人不肯解決的話，上告司憲府或義禁府就好，爲何要隨便交給一個種苗商，還到處大聲嚷嚷自己是個酒鬼啊？」

「妳怎麼比我還清楚喝了酒以後，我會做什麼，又做了些什麼事啊？」

「大人，您那樣做，要是連這裏都把您趕出去的話，那要怎麼辦？」

「妳啊，眞是個天生愛擔心的人，既然有時間皺著眉頭盯著我看，囉嗦個沒完，還不如轉身回頭去瞧瞧，我看那是來找妳的客人哦。」

長今聞言回頭一看，發現連生正跨越田溝飛奔而來。長今立刻迎面跑過去，心臟就像跳出胸口一樣劇烈鼓動。

「長今啊！提調尙宮嬤嬤差我來帶妳回去。」

第七章　情

校書閣八角屋簷一映入眼中，馬上也就看到了旁邊附建的司書勤務室。

長今小心的出聲，旋即覺得自己好像太小聲了一些，便提高音量再喊了一聲，

「大人。」

但裏面不見任何回應。

長今拿著雲白要她帶給司書朴仁厚的紙條，那是在離開茶栽軒之前，最後向他辭行時給的。那時長今做了菘菜煎餅，擺到雲白面前，最後一次勸告他。

「如果您一定要喝酒，請務必準備一些下酒菜塡塡肚子墊墊底。」

「知道了啦，不要再嘮叨了。妳要回宮去了，有空到校書閣勤務室一趟，把這張紙條交給司書朴仁厚吧。」

一面說著，就把張紙條丟了過來。「這菘菜煎餅眞好吃，相信妳絕不會因爲做不好菜而被趕出來。」

照例又是那種嘲諷的語氣，其中卻有著前所未有的溫柔。對他來說，離別或許

不是那麼傷心的事吧。

還不到幾天，已經開始懷念雲白，擔心他那率性而爲的個性，不知又會闖出什麼禍來。爲了甩開這份想得再多也無用的掛心，長今來到校書閣前，從半開的門縫裏窺探著內部。

「朴仁厚主簿大人在嗎？」

沒有任何回應，長今的眼光卻被排列在書架上的書籍給吸引過去，不知不覺便走到了校書閣裏面。斜入的陽光讓書閣一半的空間看起來如褪色般花白，另一半則藏在陰影中顯得深幽。撲鼻而來的是遙遠的書香，略帶淡淡的霉味，聞久了讓人稍生迷離之感。如果在這裏的話，好像連水刺間都可以暫且拋在腦後，一直沉浸在書海裏。

「宮女是不能進到這裏來的。」

書架另一邊傳來的聲音，讓長今原本正想抽出一本書的手勢停了下來，並有點不知所措地僵立在原地。因有書架阻擋，看不清對方的臉，但那低沉的聲音感覺卻不陌生。

「眞是抱歉，我是受了茶栽軒鄭雲白主簿大人之託，帶來一封要轉交給朴仁厚大人的信函。」

「朴主簿已經外放爲縣監，到全羅道去了……」

那略含疑慮的聲音令長今有點害怕，索性朝著發出聲音的方向大步走去，但仍不敢抬頭往上看，只能低頭盯著地板往前走，然後看到了軍官穿的長軍靴。

長今就這樣繼續低著頭，遞出名爲信徵，實則僅爲一張紙條的便箋。

「我是內禁衛從事官閔政浩，內禁衛就正好在生角侍訓練場旁邊。」

讀完紙條後，男子突然說了話，但長今不懂話裏的含意，唯有把低著的頭壓得更低。

於是閔政浩接下去說：「妳有空的話就過來這裏吧。紙條上說這個宮女讀了書的話，比起無能的官吏更能對老百姓做出貢獻，請盡可能的將書借給她。剛才妳想看的書好像是《書經》，那本書借給妳就可以了嗎？」

「我只是個生角侍，怎麼能看《書經》呢？」長今訝異。

「只是個生角侍，卻獨獨抽出《書經》來看？」閔政浩不帶惡意的促狹道。

長今臉上驀然湧現紅潮。

「只有人類會在意身分，書是不會在意身分的。聽說妳栽植百本成功了？」

還來不及回答，已有一群官員湧進校書閣來，走最前面的軍官還斜眼瞄著長今問道：「宮女來這裏做什麼？」

「替茶栽軒跑腿過來的。」也不覺得有必要解釋她只是個生角侍。

閔政浩雖替她回答了問題，但軍官疑惑的眼神未除。長今等那人走到空位上坐下後，就慌忙從校書閣中出來，正巧看到那位軍官的座位桌子上有個三色流蘇垂飾，那分明就是自己遺失的流蘇垂飾啊。

「沒事了啊，難道剛才那位是他嗎？」

因爲有宮女連眼神都不得與外間男子對視的規定，讓長今無法正面辨識那人的臉，實在可惜。

長今想要甩掉這個想法，不禁更加用力的搖頭。

「然而，內禁衛軍官到校書閣來做什麼呢？」

想要拋開，但，腦海裏卻總是浮現三色流蘇垂飾的影子。

「下一步。」

「打散豆醬。」

「然後。」

「攪一攪。」

爲了要把腦子裏想不起來的步驟全擠出來，德九的妻子望著天花板，眼睛眨個不停。

「妳在亂七八糟說些什麼啊？打散不就是攪一攪嗎？」

「是嗎？那……總之煮得好吃就可以了。」

「妳這女人啊！我就是在問妳要怎麼煮才能好吃呀，說什麼煮得好吃就可以了？沒有祕訣嗎，祕訣啊！」

「啊，都是你啦，叫我把每天煮的東西按步驟講出來，我就是想不起來啊，怎樣？」德九的妻子幾乎要惱羞成怒起來。

「妳教我的時候，輕輕鬆鬆就教得那麼好，怎麼突然又想不起來啦？御膳比賽沒過的話，長今就沒法成爲宮女啦。」

「噢！說得也是！只要想著是教你就可以了嘛。」

這樣開始就滔滔不絕，毫無窒礙了。德九把妻子同自己合作，絞盡腦汁寫下來的烹飪祕訣透過司饔院的工人，轉交給長今。今英也抱了一大疊書籍過去，雖然沒有時間分享這段期間的種種，但交會的眼神裏已道盡千言萬語。對彼此想說的話當然很多，但眼前御膳比賽在即，也只能約定日後再長聊了。

連生也是如此，只要有空，能多教長今多少就賣力的教，教的同時，自己剛好再複誦一次，長今就這樣邊聽她朗誦的聲音，邊暗記在心，期盼熟能生巧。

「炊飯過程包括，水滾的煮，蒸燜的燕，燃柴的燒……」

就這樣無論長今準備得如何，總之都已經到了奮力一搏，以決命運的時刻。

御膳比賽的日子終於到了，三十名左右的生角侍排列整齊地坐著。桌上放著一個大櫃，後面的尚宮與宮女如屏風般圍坐著。

「御膳比賽分成兩段，一是在此解題，寫出試題的食物名稱，二是在訓練場直接做出那道食物。」

最高尚宮用前所未見的嚴肅表情宣布：「現在訓練場裏準備好了三十份供妳們調製食物的材料，那些材料的種類與品質，還有肉類的部位都不相同。按照寫出答案的順序，可優先挑選材料，也就是說越快寫出答案，越可優先選擇良好的材料。御膳比賽通過與否決定是否可成爲宮女，如果落第，就必須循原路出宮，希望妳們好好發揮之前所見所學的一切，順利成爲宮女。」

比賽場裏靜默到幾乎連緊張的生角侍呑嚥口水的聲音都無暇聽聞。

「打開大櫃！」

閔尚宮站出來打開了大櫃。

「頭否頭」

「衣否衣」
「人否人」

嘆息聲此起彼落，處處可聞。

「這就是這次御膳比賽的試題，運用妳們以前學習過的知識，細心思考，然後寫出這項食物的名稱來。」

最高尚宮話一說完，便響起敲鑼的聲音。

對長今來說，這是連聽都沒聽過，看也沒看過的試題。今英開始磨墨，沒多久就洋洋灑灑地寫好答案，最早出列。接著又一個、兩個生角侍連續起身離開座位，但長今的腦袋就像座位一般越來越空。

先交卷出場的連生躲在門後面，滿心焦慮。

「怎麼辦才好，怎麼會正好出那道題目啊？」

「就是嘛。」昌伊也是一樣心急得不得了，跟著附議說：「只努力教她背誦烹煮方法，誰知道會出典故。」

德九緊貼在訓練場廣場外牆上，更是心急如焚。他以送酒到司饔院爲藉口，早早就來到這裏，連墊腳的瓦片都先堆好了，此刻就是站在縱身一跳的瓦片上，緊攀著外牆往裏頭看，別人若從背後看去，也就像是個小偷了。

「怎麼辦才好？哎呀呀，食材只剩下一半了……」他自顧自的嘀咕：「好的材料都被別人選走了。」

即便從遠處，德九依然能就清楚地看到長今鬱悶不開的表情。

「你在那裏做什麼？」

德九被突如其來的聲音嚇了一跳，驚慌之際，腳下堆積的瓦片也開始搖動，先是站在搖晃的瓦片上晃動雙手，最後終究還是跌了下來。

「你是做什麼的，怎麼在那裏偷窺宮女訓練場？」威嚴的聲音正是由閔政浩口裏發出的。

「不是的，只是剛好到內禁衛炊事場來……」德九結結巴巴地回答，然後捉準機會一溜煙的跑掉了。

鑼聲再度響起，剩下十名生角侍沒有答出試題，長今是其中之一。

「答案是饅頭❶。三國時代諸葛亮率兵攻打南蠻，七擒七縱蠻將孟獲，孟獲終於臣服。孔明班師回朝，途中須經瀘水溝，正當軍隊準備渡江之時，突然狂風大作，浪激千尺，鬼哭神嚎，大軍無法渡江。於是孔明招來孟獲問明原因，孟獲回報，因兩軍交戰，戰亡之將卒無法返回故里與父母妻兒團聚，故在此興風作浪，阻撓回程，軍師若要順利渡江，須用四十九顆人頭祭江，方可風平浪靜。孔明心想兩軍交戰死傷難免，哪有太平之時再殺四十九條人命的道理？遂心生一計，即命廚子用米麵為皮，內包黑牛白馬之肉，捏塑出七七四十九顆人頭頭顱，算準時辰，陳設香案，灑酒祭江，剎那間風平浪靜，萬里無雲，大軍順利渡江。此即為「蠻頭」（饅頭）的由來。」

長今聽完一臉惋惜的垂低了頭。頭否頭，是頭也非頭；衣否衣，是衣也非衣，指的是饅頭的外皮；人否人，則是人也非人，這就是饅頭的文字謎題。

但還不到結束的時候，雖然只剩下非上選的食材，至少還有做出食物的機會。自己不是讓已躲在堅硬外殼中達二十年之久的百本種子冒出芽來了嗎？雖然從來沒有揉麵做過饅頭，多少有點擔心，但長今還是決定要硬著頭皮試一試。

「剛才說過了，按照答對的先後順序可以優先選擇食材。但是，如果沒有挑選食材的眼光，就算順序在前面也是沒用的！選擇食材的眼光也包含在考試之內，大家務必小心謹慎地選擇。」

在緊張的氣氛中，由最早交卷的今英站到桌子前面去，她先全部看過一圈，仔

❶即中國之包子、餃子的總稱。

細觀察觸摸後，才從中挑選了一份，那是胸前肉部位。

輪到長今的時候，只剩下五份食材，長今選了後腿肉，但那是在滷肉或做肉脯時常用的部位，在熬煮肉湯時，是不會拿來使用的。

「熬煮肉湯與揉麵做饅頭都需要時間，所以今天得先把肉湯和饅頭做好，明天早上再在此地集合，繼續未完的比賽。挑選好的材料要好好保管，尤其麵粉是非常珍貴的物資，只能分配一定的份量，必須格外注意。」

麵粉一向僅存有國王與王后御膳食用的定量，在水刺間裏屬於最珍貴的材料。

因爲是在比賽途中，所有參賽的生角侍當晚得住宿在臨時的處所裏，緊鄰處所旁的建築尾端，則備有臨時材料室，由兩名女僕看守入口。長今和連生在那裏收拾好要煮肉湯的材料後，再度來到訓練場。訓練場裏已配置好火爐、砧板、菜刀等之類，明天御膳烹調比賽時要用的廚具共三十套。

今英正在磨刀，眼神幾乎比要上戰場的軍士更加悲壯。長今一樣賣力的磨刀後，在等著肉湯煮滾的時間裏，又忙著磨生薑和調製醬料。連東宮殿、太后殿的生角侍們全都圍攏過來，嚷著說要看今英的特別祕訣，但長今絲毫不受這一切的影響。

熬煮好的肉湯也不急著嚐味道，先收拾好擺在一旁，免得有小蟲飛進去。然後走到訓練場外來，吹吹夜晚的涼風，長今這才發現到場內的空氣有多悶熱。

「從沒做過饅頭，還選到那麼差的材料，怎麼辦才好啊。」

一起走出來的連生不擔心自己，反而更擔心長今。

「連生啊，其實我挑到的材料也不是那麼不好的啦。」長今感動之餘，反過來安慰她。

「什麼？」

「肉類的部位雖然很重要，但也要看看新鮮度。今天的材料中有剛宰的，也有已經放五、六天的，種類不一。我特別挑選了已過五、六天的肉。因爲要熬煮肉湯的話，不是剛宰殺的肉，煮出來的味道反而更加香。」

「就算那樣，後腿肉並不是平常煮肉湯時慣用的部位啊。」

「這個啊，有個祕密我只跟妳一個人說哦。我小時候住在白丁村裏。」

「眞的嗎？」

「嗯，我還記得那時候宰牛的叔叔們若要熬煮其他肉湯時，都會用前腿肉或前胸肉，只有在煮冷麵肉湯時，一定會用後腿肉。我母親也跟我說過，後腿肉煮的肉湯更清爽也更香濃。」

「原來是那樣，我都不知道耶。」連生算是大開了眼界。

「大概是因爲前腿肉和前胸肉要賣到士紳家，那麼剩下的部位要如何運用，一樣煮出好吃的飲食呢？苦思之後就產生了這樣的祕訣。不管怎樣，雖然和湯餃的肉湯可能會有些不同，但應該也不會差到哪裏去。」

「還是妳厲害，反正妳就是個天才啦。」

連生就像是自己想出的辦法一樣高興。不知是否因爲聽到肉湯材料不是那麼差的關係，總之受到了鼓舞，連生心中也湧現了一決勝負的勇氣和意念。

「長今啊，我們回到處所以後，晚點再在後面碰面。」

「做什麼？明天將是緊張忙碌的一天，怎麼不早點休息。」

「材料就在面前，去看一看、想一想做饅頭的順序也好，我是去複習，妳就當做再聽一遍，不也很好嗎？」

「妳要教我嗎？」長今感動的問她。

「老實說，我希望妳能拿到比今英姊更好的成績，通過御膳比賽。」

「我怎麼可能贏得過今英姊？」

「才不呢，正是因爲妳才有可能。而且，只要妳做得好，不知道爲什麼，我就覺得像是自己得到好成績一樣的高興，好像如此一來讓所有人都知道即便是像我們這種被輕視的孩子，也可以有優秀的表現……」

連生的話讓長今整個振奮起來，朝臨時處所走去的兩人，腳步跟著輕盈起來。不料原本明明就放在材料室裏的麵粉竟然不見蹤影。守門的女僕並沒有離開過，怎麼就湊巧只有長今的麵粉不見了！跟著長今過來的連生知道了以後，馬上驚惶失措起來。可是不管是連生驚惶失措還是長今失魂落魄，麵粉丟了還是丟了。

長今在連生的陪伴下去向最高尙宮報告這件事情，結果卻被罵了一頓，怪她疏忽，說她沒有好好保管材料。本意沒有達成，從最高尙宮勤務室一走出來，連生便無力地坐倒在地。

「唉唷，氣死人了，爲什麼只有長今妳老是碰到這些不順遂的事情呢？」

連生像個任性的小孩一般，乾脆一屁股賴坐在地上，雙腿亂蹬的哭鬧，反要長今扶起她，但長今自己也是欲哭無淚啊！

「我的麵粉分給妳用。」

連生的話讓長今喉嚨哽咽，感激在心，但每人分配到的麵粉，都是只夠一人使用的份量。

「妳明知道這樣是行不通的，與其兩個人都落第，還不如至少讓一個人通過啊。」

「到底是哪個遭天譴的傢伙偷走麵粉的啊？」

「從作餡兒的材料也都少了一點的情況來看，可能是什麼人想練習而偷走的吧！要不乾脆今晚別睡，在王宮裏到處翻找看看。」長今下定決心說。

「說得也是，東宮殿和太后殿的生角侍們看起來都沒什麼信心，說不定就是她們偷了麵粉去練習。好吧，我們一起找找看。應該不會在人來人往的訓練場裏。」

「可能是和訓練場很近，又深幽的地方……」

「內禁衛炊事場！」

「對啊，那裏和訓練場的圍牆剛好連在一起。」

「妳去那裏看看，我到東宮殿去找找。」連生提議。

決定好去向的長今與連生立刻用最快的速度朝各自的目標跑去。

雖然翻越圍牆不是什麼難事，但要找到內禁衛炊事場卻不容易。經過兩扇邊門，每扇門都打開來看，卻都看不到炊事場。長今苦思半晌，瞥見還有間勤務室沒有熄燈，立刻決定悄悄從那前面走過，沒想到門剛好打開，走出來一位軍官。長今嚇了一跳趕緊煞住腳步，並低下頭去。

「妳在這裏做什麼？」同樣嚇了一跳的軍官先聲奪人，等看清楚對方瑟縮的身影，才醒悟到自己有點過分。

「我是說這個時間一個宮女怎麼……咦？妳不是來過校書閣的生角侍嗎？」

是閔政浩，但長今因爲每次見面都低著頭，只記得他的聲音。不管是交談過的閔政浩，還是後來進來對她有過意見的軍官，長今都沒看過他們的臉。

「這個時間來借書不會太晚了嗎？」

長今在腦中飛快地想著該如何回答，但政浩身後卻傳來刺耳的碗盤破碎聲，讓長今的耳朵也跟著豎起來。

「請問炊事場在什麼地方？」

在政浩的指引下，打開炊事場的門，果然看到一位年幼的女僕正心無旁貸地揉著麵糰，再仔細一看，更是恍然大悟，原來就是兩名負責看守臨時材料室的女僕之一。

「妳怎麼可以這樣做？」

太過憤怒的心情令讓長今的聲音顫抖起來。

「妳難道不知道如果沒有麵粉，我明天就沒法通過御膳比賽，然後就會被趕出宮去？妳卻還故意這樣做？」

但對方什麼都不回答，只是淚漣漣的望著長今。

「快還給我！」長今大叫。

「雖然不知道是怎麼回事，但妳趕快把手上的東西交還給原主吧。」

女僕大力的搖頭，同時更用力地捉緊揉麵糰的盆子。

「要我動手，妳才肯還嗎？」政浩問道。

「那對我來說，可比金粉還要貴重，妳快還給我吧！」長今懇求。

女僕更加用力地搖頭，乾脆把揉麵盆子整個抱在懷裏。

「看來非得把妳交給義禁府不可了。」

聽到「義禁府」三個字，女僕也不禁露出害怕的樣子，並說：「之前伺候的嬤嬤明天就要出宮到寺裏去了。」

「明天要出宮去的嬤嬤，妳是說盧尚宮嗎？」

之前長今不在宮中，原本也不知道這個消息，後是無意中聽到生角侍們在談論，才又想了起來。盧尚宮就是當年把長今帶進宮來，從修練生時期開始一直教導她的訓育尚宮。不過，女僕說的那些話是什麼意思啊？

「以後或許再也見不到嬤嬤了，所以我想要親手做一碗嬤嬤喜歡的湯餃給她吃，才會做出這種事。」

聽過原委，更覺得荒謬透頂。而不知前因後果的閔政浩同樣感到不解。

「就算恩情深厚，但一碗湯餃會比一個人的一生命運重要嗎？快把麵糰還給我！」

「不行，就算受處罰也沒關係，麵糰絕不能交給妳。」

女僕的言行越來越激烈，政浩再也無法袖手旁觀，便向前想有所動作。

長今卻阻止了政浩說：「暫別行動，其中是有些曲折，等我去跟盧尙宮嬤嬤打聽清楚之後，再採取行動也不遲。」

「妳認識那位尙宮嬤嬤？」

「是的，現在就在我們的臨時處所擔任訓育尙宮。」

「那妳去請她過來，我在這裏幫妳守著麵糰。」

盧尙宮聽了事情經過，毫不猶豫便跟了過來，一看到哭泣不已的女僕，眼中流露出悲憐之情，卻立即向閔政浩行禮。

「這孩子什麼錯都沒犯，要處罰就請處罰我吧。」

「母親……」

不小心冒出來喚母親的字眼，讓長今和政浩不約而同地面面相覷。

「怎麼叫母親……這到底是怎麼一回事啊？」

「那個女僕，不，是姮伊，姮伊是我生的孩子。」

「您知道現在您在說什麼話嗎？從小進宮，一生裏眼中、心底就只能看、只能有王上一個男人，宮女怎麼可能有孩子呢？」

「那是當年在太平館裏伺候明朝使臣時……」盧尙宮無法一次說完，「之後就懷了姮伊，也曾多次要嘗試自盡，卻都沒有死成。」

「竟然有這種令人髮指的事，但就算是那樣，怎麼可能一直沒被發現，還共同生活至今呢？」

「上面的尙宮嬤嬤知道事情的原委，可憐我們母女，才幫忙讓她以生角侍的身分養大的。」

「眞是令人無法置信，您是說您以宮女的身分在宮裏生下孩子，然後又一直掩人耳目地養大這個小嬰兒？」

「用盡辦法，正是宮女的生存之道呀！」

閔政浩聽得啞口無言，轉身面向長今，發現長今臉上不僅不見怒氣，反而早已淚流滿面。

「請處罰我，放過姮伊吧。」

「母親……」

「快把麵糰還給人家。」

「不行，我一定要親手做一碗湯餃給您吃。」

想搶過揉麵盆子的母親與不肯放手的女兒爭來搶去，最後兩人乾脆抱在一起痛哭。閔政浩實在看不下去，只好轉開身去。

「一起做吧。」

抱頭痛哭的母女，以及轉開身去的政浩，都因爲長今這句話而一齊抬起頭來看著她。

「反正我也需要練習，那就一起做做看吧。」

炊事場外邊山坡上，杜鵑鳥啼聲聲響亮，包著餃子的姮伊和坐在一旁的盧尙宮都無聲地啜泣。恍惚中，長今好像看到了拚命嚼爛葛根，哺餵親娘的那個八歲的自己也坐在同一處哭泣。

接過姮伊做的湯餃瞬間，盧尙宮只是淚流不止，而在看見盧尙宮舀起第一口品嘗過後，長今便走出了炊事場。迎上把兩手背在身後，站在內禁衛訓練場中央的政浩。

「妳根本不需要爲她們做到這種地步。」

長今但笑無語。

「現在麵粉都用光了，妳打算怎麼辦呢？」

「那就出宮去吧。」

「不是才回來沒多久嗎？唉，眞是的。」

那口氣好像是在說以後只要看到宮女，都只能雙手投降的意思。

「讓您白費心力，眞是抱歉極了。那麼，我這就告退……」

恭敬行禮後，轉身便要離開，突然間那苦苦壓抑的難過竟一下子全湧了上來。

「咕——咕——」

杜鵑鳥啼聲緊隨在身後，導致長今雖想大踏步離開，卻老是踩到裙腳。

「那是爲了不犧牲他人，又能讓自己生存下去才做出來的食物。」

政浩的聲音隨著黑暗而來，拉住了長今的腳步。

「但現在說這些顯然已經沒有用，只因爲試題是饅頭，我才會突然想到這個。」

長今停下腳步，伸長了耳朵仔細聆聽。

「紙條上寫著聰明又多才多藝，說是不管做什麼，對百姓都會有所貢獻。他說妳是不管做什麼，對百姓都會有所貢獻的女人啊！」

聽了這話，長今腦中靈光一閃，突然浮現一個想法，遂轉過身來，透過黑暗對政浩說：「我可以拜託您一件事嗎？」

三十種各式各樣的餃子一字排開，有湯餃、蒸餃，還有放在小圓桌上的水餃。小圓桌也不知是打哪裏找來的，連墊在水餃下面的長春藤葉子也弄得精緻美觀。

由尚宮與內侍組成的八人評審站在評審台前，鑼聲一響，即開始試吃。每一回品嘗，所有評審人員都會一再咀嚼口裏的東西，儘可能細細品味，並向製作的人詢問，或兀自點頭讚許，或細心記表評分，絕非草草了事。

來到下一份餃子前時，所有人都張大了眼睛，居然是如小孩頭顱般大小的大蒸餃。

「這要怎麼吃啊？」

最高尚宮一問，今英便走上前，將大餃子的一邊外皮打開，裏面包放著數個與外面大餃子模樣相同的小餃子，全都鮮嫩地端立著，最高尚宮拿起一個放入嘴裏細細品嘗之後問道：

「把小水餃包裹在大水餃的原因何在？」

「每當進宴之際，總會上一道蒸餃，但可惜的也總是一下子就會冷掉。如果能改成像這樣做的話，不僅不會冷掉，還可以長久保存鮮嫩狀態，所以我才會嘗試這麼做。」

「既是蒸餃，也像是湯餃。」

「是的，因爲餃皮是以高湯和麵揉成的，才有這種滋味。而放在大蒸餃裏，濕氣便不會外洩，更能保有有湯餃的味道。」

「若吃年糕，要吃松糕；若吃內餡，要吃水餃；妳是不是在調味餡料的最後加了醋啊？」

「正是。」

「可是，一點都不會酸呢。」

「肉若用醋調味的話，酸味就會消失，肉味也會變得更加清淡爽口，我用的是十年前自己親手釀製埋藏的酸醋。」

在旁聽著的生角侍們全都咋舌讚嘆，爲了十年後的御膳比賽，連酸醋都早早釀製準備好，今英思考之周密與對美食的執著令人不得不佩服。

接著輪到長今，她用來做餃子皮的材料很特殊。

「妳用什麼蔬菜來包內餡啊？」

「這叫做菘菜。」

「菘菜？」

「是從明朝引進種子，在茶栽軒種植成功的藥材。我曾拿來做過煎餅和包菜，味道很好，因而運用於此。」

「分給妳的麵粉到哪裏去了，怎麼會用其他的材料？」

最高尙宮事前已經知道麵粉遺失，原本想略過不問，豈料崔尙宮卻窮追猛打。

「不見了。」

「不見了？那麼珍貴的東西能讓妳說這三個字就了事嗎？妳到底在做什麼？」

在她們對話之間，常勤內侍已先夾起一粒顏色不同的餃子放進嘴裏咀嚼。

「嗯，這個味道也很特殊啊。」

「是，我用了蕎麥麵粉。」

「沒錯，沒錯，餃子皮確實沒有必要非用珍貴的小麥麵粉不可。」

長値內侍的友善回應緩和了緊張的場面，不過還是得看最後的結果。無論如何，沒有使用指定材料，總是教人忐忑難安。

長今的擔心也終於在所有試食結束，只剩下評審在場的時候，馬上成爲事實。

「水刺間宮女的責任，難道只在於做出佳餚就好了嗎？材料的保管也是重責之一。」

「崔尚宮說的也有道理，無論後來的補救多麼別具巧思，一開始便遺失材料對一個宮女來說，已經就算是不合格的了。」

連提調尚宮也出來附和，讓崔尚宮的表情更加盛氣凌人。

長値內侍卻馬上表示相反的看法。

「然而就味道而言，卻具狀元之資啊！在沒有珍貴小麥麵粉的情況下，也能做出這般好味道，難道不算是項令人激賞的發現嗎？」

「您要知道現在是在比賽，該強調的是如何使用分配到的材料做出不同於他人的獨創味道才對啊。」

在你一言我一語的攻防之間，只有最高尙宮自始至終都不發一語。

生角侍六人一行整齊排列，評審團終於出現。提調尙宮用著比平時嚴謹的口氣對最高尙宮說：「發表結果吧！」

「是，此次御膳比賽的狀元是崔家今英！」

一副早在意料中的樣子，今英連眉毛也沒動一下。

「榮登狀元的今英會有大賞。以下宣布此次御膳比賽落第的生角侍，被唱到名字的生角侍必須打包離宮。東宮殿朴家順妍！東宮殿金家五蓮！大殿徐家長今！」

生角侍們比狀元發表時更加議論紛紛，長今的臉上則掛著一副早已放棄、坦然接受事實的表情。滿臉通紅的連生義憤填膺，只瞅著最高尙宮看。

「此次比賽審核嚴格是事實，但既是殿下的旨意，也沒有辦法。落第的生角侍在明天東方發白之前就離宮去吧！」

長今反而有一種解脫的感覺，已盡力而為了，再也沒有任何的留戀。未竟的夢雖留遺憾，但離開這兒，接著或許便是另一個夢的開始。成為失親孤兒時如是，被趕到茶栽軒去時也如是。把眼光放遠，不管做什麼，只要有心，總可以找到另外一個新的夢想。

「太后娘娘駕到。」

突如其來的訊息吸引大家的注意力，只見內侍與尚宮們紛紛往外走去迎接。很快的太后便在無數尚宮、內侍與宮女的簇擁下出現，訓育尚宮的身影也夾雜其中。

提調尚宮匍伏拜倒在太后面前。「娘娘，怎敢勞您親臨審視？」

「我剛去瞧過寢居與針房比賽，便順路過來看看。這畢竟是內命婦的大事啊，不是嗎？」

「小的對娘娘如江海開闊之心，感佩無限。」

「嗯，就是這些吧！」

看了一眼桌上的食物，太后的眼光首先就被今英的大蒸餃吸引過去。

「這是狀元大蒸餃。」提調尚宮介紹道。

太后夾了一個放入口中品嚐之後，露出味道果然很好的表情。

「還溫溫的，又很鮮嫩。」

「說是覺得每次進宴時都會冷掉，覺得很可惜，才想出了這個做法。」

「那麼，那邊那個顏色不一樣的餃子是什麼？」

所有人的視線都朝著太后手指的方向看去，全都停留在菘菜水餃上面。長値內侍很快地接口。

「那個叫做菘菜，是茶栽軒栽植的藥材。」

「菘菜……嗯，似乎和原來的餃子不太合適，但感覺很甜，卻又爽口極了。是我們太子也會喜歡的口味，不是嗎？」

「原來是用作藥材的，口味好不用說，對身體也大有益處。」長今進一步解釋。

「是嗎？眞的呀。那這餃子得到第幾等啊？」

「不合格。」

這次的回答出自最高尙宮的口，太后立刻望向她問：「不合格？爲什麼？」

「理由是沒有使用分配的材料，所以判定失去資格。」

「做這水餃的生角侍是誰？」

「是奴婢。」

站在太后面前的長今態度坦蕩。

「怎麼會弄丟了麵粉呢？」

「……」長今如何能說？只得保持沉默。

在一旁看著的連生急得跺腳，韓尚宮與最高尚宮也屏息以待，但長今始終一語不發，反正在短短的時間內，也無法將理由一五一十的稟告清楚。萬萬想不到此時竟有人出面來說話。

「娘娘，實際上都是因爲我的疏忽，才會造成這樣的情況。」

「咦？因爲盧尚宮嗎？」

「是的，這都是因爲奴婢的過錯所造成的，如果娘娘能寬宥，奴婢將永銘於心。」

太后沉吟半晌後，便把慈藹的眼神轉向長今。

「雖然遺失了麵粉，但就像有滾餃，也有魚餃一般，妳會用菘菜的理由是什麼呢？」

「我覺得菘菜和蕎麥麵粉很能搭配餃子的內餡，所以才這麼做的。再者御膳比賽比的是王上的御膳，聽說王上的腸胃較差，而菘菜能健胃整腸，預防感冒，蕎麥則雖性寒，卻是黃土地上所生長的植物，具有調和過與不足的功能，尤其在胃潰瘍與腸出血的治療上獨具療效。」

「哪裏去找來這麼奇特之物啊？竟然連王上的健康都著想到了。」

「娘娘，惶恐至極，可否容奴婢再多說一句話。」反正這可能是自己最後的出聲機會了。

「好，妳說說看。」

「聽聞宮中的飲食一向是萬民的指標，菘菜現在雖然是珍貴藥材，但若能將種子散播各地，將可成爲容易生長的蔬菜。另外小麥麵粉太過珍貴，對百姓來說，實在是得之不易的材料。」

突然太后大笑出聲，旁邊的尙宮們都不知所以，因而有點手足無措。

「盧尙宮妳不是該受罰，而是該打賞。如果不是妳把麵粉弄丟了，這個孩子也不會想出這個點子來吧？」

「是的，娘娘。」

「換句話說，所謂飲食，只要味道好，對身體好，又容易入口的話，還有什麼可奢求的呢？再者，這孩子還具備了應變的才華與活用能力。這種人才若趕出宮去，那什麼樣的人才能夠留在宮裏呢？把那孩子放在大殿，讓她爲王上和百姓做出最體貼人心的飲食吧。」

長今感激到幾乎是五體投地的跪趴在太后面前叩謝，別過頭去不讓人瞧見流淚的韓尙宮眼裏，卻瞥見了一名內禁衛士兵貼靠著訓練場的門柱，朝這邊窺視。

「通過了！」

「是眞的嗎？」

因爲突然起身，力道過猛，閔政浩甚至翻倒了身後的椅子。

「通過是通過了，不過不是一次就通過，是落第之後再通過的。」

「落第之後再通過？」

「到底是怎麼回事？」大家都好奇。

士兵把聽到的事情一五一十報告出來，政浩聽著整個事件過程，嘴角漸漸往上揚，終於整張臉笑開來。

長今再度見到政浩是在通過宮女儀式好幾天之後的一個晚上，看完生角侍幫忙轉達的紙條，跑過去的時候，政浩正站在山坡一角，面對銀色月光。

「恭喜妳！」

「應該是我去向您道謝才對，忙亂之中，禮儀不周，請您原諒。」

「我做了什麼需要妳向我道謝的事嗎？」

「若不是大人的一番話，我早就放棄了，何況您還找了菘菜給我。」

政浩聽了以後，什麼也沒說，只是將手中的書遞過去。

「這不是《書經》嗎？」長今不解。

「聽說歷代尙宮中，裏裏外外，所立功績遠超過重臣者甚多，希望妳也能成爲那樣的尙宮。」

「謝謝您。書等我抄寫好了以後，再歸還給您。」

政浩笑著點點頭，長今低著頭轉身，準備離去，忽然想起三色流蘇垂飾，如果問他坐那張書桌的人是誰，不知道會不會太唐突。

長今回頭看的時候，正好看見政浩向著這邊微偏著頭的側面，瞬間長今彷彿又看見了在松坡渡口，被刀刺後仆倒在地的軍官側臉。

（上冊完）

國家圖書館出版品預行編目

大長今（上）／金榮昡劇本；柳敏珠撰寫；
王俊譯・--初版・--臺北市：麥田出版：城
邦文化發行，2004【民93】
面；　公分・--（電視小說；4）

ISBN 986-7537-85-8（平裝）

862.57　　　　93007985

cité 城邦

讀者回函卡

謝謝您購買我們出版的書。請將讀者回函卡填好寄回，我們將不定期寄上城邦集團最新的出版資訊。

姓名：＿＿＿＿＿＿＿＿＿＿電子信箱：＿＿＿＿＿＿＿＿＿＿

聯絡地址：□□□＿＿＿＿＿＿＿＿＿＿

＿＿＿＿＿＿＿＿＿＿

電話：（公）＿＿＿＿＿＿＿＿＿＿（宅）＿＿＿＿＿＿＿＿＿＿

身分證字號：＿＿＿＿＿＿＿＿＿＿（此即您的讀者編號）

生日：＿＿年＿＿月＿＿日　性別：□男　□女

職業：□軍警　□公教　□學生　□傳播業　□製造業　□金融業

□資訊業　□銷售業　□其他

教育程度：□碩士及以上　□大學　□專科　□高中　□國中及以下

購買方式：□書店　□郵購　□其他＿＿＿＿＿＿＿＿＿＿

喜歡閱讀的種類：＿＿＿＿＿＿＿＿＿＿

□文學　□商業　□軍事　□歷史　□旅遊　□藝術　□科學　□推理

□傳記□生活、勵志　□教育、心理　□其他＿＿＿＿＿＿＿＿＿＿

您從何處得知本書的消息？（可複選）

□書店　□報章雜誌　□廣播　□電視　□書訊　□親友　□其他

本書優點：（可複選）□內容符合期待　□文筆流暢　□具實用性

□版面、圖片、字體安排適當　□其他

本書缺點：（可複選）□內容不符合期待　□文筆欠佳　□內容保守

□版面、圖片、字體安排不易閱讀　□價格偏高　□其他

您對我們的建議：＿＿＿＿＿＿＿＿＿＿

＿＿＿＿＿＿＿＿＿＿

＿＿＿＿＿＿＿＿＿＿

＿＿＿＿＿＿＿＿＿＿

麥田出版

廣	告	回	郵
北區郵政管理局登記證			
北台字第10158號			
免	貼	郵	票

cité 城邦 城邦文化事業(股)公司

100台北市信義路二段213號11樓

請沿虛線折下裝訂，謝謝！

麥田出版

文學・歷史・人文・軍事・生活

編號：RU0004　　書名：大長今(上)

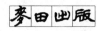

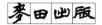